E.P.L.E. - ENSINO DE PORTUGUÊS LÍNGUA E

VER, OUVIR E FALAR PORTUGUÊS

Edição Revista

AUTORIA

Marília Margareth Cascalho
Orlando Couto

DIRECÇÃO

Renato Borges de Sousa
CIAL - CENTRO DE LÍNGUAS

Curso realizado com o apoio da
Comissão das Comunidades Europeias
Programa Língua

Lidel - edições técnicas, lda

LISBOA — PORTO — COIMBRA
e-mail: lidel@lidel.pt
http://www.lidel.pt (Lidel on-line)
(*site* seguro certificado pela Thawte)

Da mesma Editora:

— GUIA PRÁTICO DOS VERBOS PORTUGUESES – 12.000 verbos - 5ª Edição
Manual Prático de conjugação verbal.
— GUIA PRÁTICO DE VERBOS COM PREPOSIÇÕES - 2ª EDIÇÃO
Mais de 1800 verbos com preposições e os seus respectivos significados.
— GRAMÁTICA ACTIVA - 2ª Edição
Noções e exercícios gramaticais em 2 níveis com soluções.
— VAMOS LÁ COMEÇAR
Explicações e exercícios de gramática e vocabulário (nível elementar).
— VAMOS LÁ CONTINUAR
Explicações e exercícios de gramática e vocabulário (níveis intermédio e avançado).
— PORTUGUÊS AO VIVO
Textos e exercícios em 3 níveis com respectiva cassete áudio.
— VAMOS CONTAR HISTÓRIAS
Conjunto de ilustrações e vocabulário, pensado e preparado para estimular a comunicação oral em aula e facilitar o uso correcto da língua.
— PORTUGUÊS XXI
Curso de Português Língua Estrangeira estruturado em 3 níveis: Iniciação, Elementar e Intermédio.
Componentes: Livro do Aluno, Caderno de Exercícios, Livro do Professor e CD-áudio.
— PRATICAR PORTUGUÊS
Actividades linguísticas variadas, destinadas a alunos de Português Língua Estrangeira de nível elementar.
— COMUNICAR EM PORTUGUÊS
Disponível em 2 versões: Livro e Livro + CD-áudio.
— DITADOS DE PORTUGUÊS
Conjunto de duas cassetes áudio + livro de acompanhamento para os Níveis Elementar e Intermédio.
Para aperfeiçoamento da compreensão oral.
— BEM-VINDO
Método para três anos de Português Língua Estrangeira.
Componentes de cada nível: Livro do Aluno, Livro de Trabalho, Livro do Professor e CD-áudio.
— PORTUGUÊS SEM FRONTEIRAS
Curso de Português como Língua Estrangeira em 3 Níveis.
Componentes de cada nível: Livro do Aluno, Livro do Professor e um conjunto de Cassetes Áudio.
— LUSOFONIA
Curso Básico de Português Língua Estrangeira / Curso Avançado de Português Língua Estrangeira.
Componentes de cada nível: Livro do Aluno, Caderno de Exercícios, Livro do Professor e Cassete Áudio.
— VOA!...
Método para crianças dos 6 aos 10 anos em 3 níveis.
— PORTUGUÊS A BRINCAR
Método de iniciação à Língua Portuguesa para crianças a partir dos 7 anos.
Componentes: Livro do Aluno, Livro do professor, Cassete Áudio.
— CONHECER PORTUGAL E FALAR PORTUGUÊS
CD-Rom para aprender Português de forma autónoma (nível elementar).
— PORTUGUÊS (INTER)ACÇÃO
CD-Rom de Português Língua Estrangeira para aprendentes dos níveis intermédio e avançado.
— SERRA TERRA / OLHAR COIMBRA
Cassetes vídeo, que incluem Guia Pedagógico (Disponíveis em PAL, SECAM e NTSC).
— LER PORTUGUÊS
Colecção de histórias originais de leitura fácil e agradável, estruturadas em três níveis.
— DIÁLOGOS DE UM QUOTIDIANO PORTUGUÊS
CD-Rom para a aprendizagem de Português Língua Estrangeira.
— GRAMÁTICA INTERACTIVA
CD-Rom com mais de 100 exercícios interactivos para revisão, consolidação e alargamento das áreas/estruturas gramaticais da língua Portuguesa.

EDIÇÃO E DISTRIBUIÇÃO

Lidel - edições técnicas, lda.

ESCRITÓRIO: Rua D. Estefânia, 183-r/c Dto. – 1049-057 Lisboa – Telefs.: Ens. Línguas/Exportação: 21 351 14 42 - depinternational@lidel.pt; Marketing: 21 351 14 44 - marketing@lidel.pt; Formação: 21 351 14 45 - formacao@lidel.pt; Revenda: 21 351 14 43 - revenda@lidel.pt; Linha de Autores: 21 351 14 49 - edicoesple@lidel.pt; Dep. Venda Directa: 21 351 14 48 - venda.directa@lidel.pt; Mailing/Internet: 21 351 14 45 - mailnet@lidel.pt; Tesouraria: 21 351 14 47 - depam@lidel.pt; Periódicos: 21 351 14 41 - depam@lidel.pt; Fax: 21 357 78 27 - 21 352 26 84

LIVRARIAS: LISBOA: Av. Praia da Vitória, 14 - 1000-247 Lisboa – Telef. 21 354 14 18 - Fax 21 357 78 27 - livrarialx@lidel.pt
PORTO: Rua Damião de Góis, 452 - 4050-224 Porto – Telef. 22 557 35 10 - Fax 22 550 11 19 - delporto@lidel.pt
COIMBRA: Av. Emídio Navarro, 11-2º - 3000-150 Coimbra – Telef. 239 82 24 86 - Fax 239 82 72 21 - delcoimbra@lidel.pt

Edição Revista Março 2004
LIDEL — Edições Técnicas Limitada

Impressão e acabamento: Tipografia Lousanense, Lda.

ISBN 972-9018-66-9

Depósito Legal N.º 208 092/04

APRESENTAÇÃO DO CURSO

Ver, Ouvir e Falar Português é um curso de video para iniciação à Língua Portuguesa que, utilizando a técnica audio-visual de ensino, está pedagogicamente organizado de modo a permitir uma auto-aprendizagem.

O curso integra um livro com diálogos, exercícios e duas cassetes de video de 50 minutos cada.

Ao longo de dezasseis unidades, que apresentam através dos seus diálogos situações concretas da vida portuguesa, vai-se processando uma evolução gradual e progressiva na aprendizagem do português.

Todos os diálogos vêm acompanhados de tradução e notas gramaticais na língua do aluno bem como de uma listagem do vocabulário, exercícios práticos e respectivas soluções o que permite uma progressão apoiada no processo de auto-aprendizagem.

Ao longo deste curso o aluno vai gradualmente alargando os seus conhecimentos da língua portuguesa, com particular ênfase na compreensão e expressão orais. Ao mesmo tempo, e partindo do princípio de que a língua é inseparável do modo de vida e da cultura daqueles que a falam **"Ver, Ouvir e Falar Português"** é também um curso que possibilita um melhor conhecimento da cultura e costumes do povo português.

PRESENTATION OF THE COURSE

Ver, Ouvir e Falar Português - Seeing, Hearing and Speaking Portuguese - is a video course for beginners in Portuguese. The course applies audio-visual teaching methods and is pedagogically arranged so as to permit self-teaching.

Course material includes a book of dialogues, exercises and a two-hour video cassette.

Throughout its 16 parts, which reflect in their dialogue typical situations of day-to-day life in Portugal, there is a gradual, progressive evolution in learning the language.

The dialogue is accompanied by translations and grammatical notes in the pupil's own language, in addition to vocabulary, practical exercises and answers thereto, which will enable the pupil to progress in his aided self-teaching programme.

During the course, the pupil's knowledge of the Portuguese Language will gradually be enlarged, and particular emphasis will be given to oral understanding and expression. At the same time, based on the assumption that a language is inseparable from the way of life and the culture of those that speak it. **"Ver, Ouvir e Falar Português"** is also a course providing a better understanding and knowledge of the culture and habits of the Portuguese people.

ÍNDICE

ÍNDEX

UNIDADE	ÁREA VOCABULAR	ÁREA GRAMATICAL
9 Onde Fica? PÁG. 110	- Orientação na cidade - A que distância fica? - Pedido de informações	- Condicional - Imperativo (2) - Ficar / Ser
10 O Seguro PÁG. 122	- Atendimento numa Companhia de Seguros - Vocabulário específico	- Presente do Conjuntivo (1)
11 O Telefone PÁG. 132	- Ao Telefone - Várias situações - Marcação de entrevistas	- Imperativo (3) - Presente do Conjuntivo (2)
12 No Banco PÁG. 144	- Atendimento no Banco - Várias situações - Pedido de informações	- Imperfeito do Conjuntivo
13 Na Farmácia PÁG. 156	- Atendimento na Farmácia - Vocabulário específico	- Preposições + Pronomes Pessoais (2) - Já / ainda não - Tudo / todo - Verbo Doer
14 Na Loja PÁG. 166	- Atendimento na Loja - Várias situações - Vocabulário específico	- Revisões
15 O Convite PÁG. 176	- Situações do dia-a-dia	- Futuro do Conjuntivo (1) - Conjugação Perifrástica Haver de + Infinitivo
16 No Aeroporto PÁG. 186	- Pedido de informações no Aeroporto - Vocabulário específico	- Graus dos Adjectivos (2) - Conjuntivos (Presente + Futuro) (2)

UNIT	LEXICAL AREAS	STRUCTURES
9 Where Is It? PAG. 111	- Getting around - How far is it? - Asking for information	- Conditional - Imperative (2) - Ficar (to stay / to be / to be situated / to fit) - Ser (to be / to be situated)
10 The Insurance PAG. 123	- Going to an Insurance Company - Specific vocabulary	- Present Subjunctive (1)
11 The Telephone PAG. 133	- On the telephone - Several situations - Setting up appointments	- Imperative (3) - Present Subjunctive (2)
12 At the Bank PAG. 145	- Arriving at the Bank - Several situations - Asking for information	- Imperfect Subjunctive
13 At the Pharmacy PAG. 157	- At the Pharmacy - Specific vocabulary	- Personal Pronouns preceded by a Preposition (2) - Já (already) / Ainda não (not yet) - Todo (every , all) - Tudo (everything) - Doer (to ache / to hurt / to be sore)
14 At the Shop PAG. 167	- Arriving at the shop - Several situations - Specific vocabulary	- Revisions
15 The Invitation PAG. 177	- Everyday situations	- Future Subjunctive (1) - Future intention/conviction Haver de + Infinitive There to be + Infinitivo
16 At the Airport PAG. 187	- Asking for information at the Airport - Specific vocabulary	- Degrees of Comparison (2) - Present Subjunctive (2) - Future Subjunctive (2)

UNIDADE 1

A Entrevista

TERESA:	Chamo-me Teresa. Tenho 28 anos. Sou portuguesa. A minha nacionalidade é portuguesa. Sou secretária. A minha profissão é secretária. Moro na Rua D. Dinis nº 30, 7º Dto - 1200 Lisboa.
ANA:	Chamo-me Ana. Tenho 25 anos. Sou portuguesa. A minha nacionalidade é portuguesa. Sou dactilógrafa. A minha profissão é dactilógrafa. Moro na Rua D.Dinis nº 30, 7º Dto - 1200 Lisboa.
CRISTINA:	Chamo-me Cristina. Tenho 24 anos. Sou portuguesa. A minha nacionalidade é portuguesa. Sou recepcionista. A minha profissão é recepcionista. Moro na Rua das Janelas Verdes nº 120, 4º Dto - 1200 Lisboa.
SR. SANTOS:	Chamo-me António Santos. Tenho 40 anos. Sou português. A minha nacionalidade é portuguesa. Sou o Director da Agência “Portuviagens”. Moro na Avenida João Ribeiro nº 15, 4º Esq. - 1100 Lisboa.
LUÍS:	Chamo-me Luís. Tenho 17 anos. Sou português. A minha nacionalidade é portuguesa. Sou paquete. Moro na Rua Aquilino Ribeiro nº 43, 1º Dto - 1900 Lisboa.

Sou português
Sou francês
Sou inglês
Sou holandês
Sou alemão
Sou sueco
Sou belga
Sou italiano

UNIT 1

The Interview

TERESA: My name is Teresa.
I'm 28 years old.
I'm Portuguese. My nationality is Portuguese.
I'm a secretary. My profession is: secretary.
I live at Rua D.Dinis nº 30 - 7º Dto, 1200 Lisboa.

ANA: My name is Ana.
I'm 25 years old.
I'm Portuguese. My nationality is Portuguese.
I'm a typist. My profession is: typist.
I live at Rua D.Dinis nº 30 - 7º Dto, 1200 Lisboa.

CRISTINA: My name is Cristina.
I'm 24 years old.
I'm Portuguese. My nationality is Portuguese.
I'm a receptionist. My profession is: receptionist.
I live at Rua das Janelas Verdes nº 120 - 4º Dto, 1200 Lisboa.

SR. SANTOS: My name is António Santos.
I'm 40 years old.
I'm Portuguese. My nationality is Portuguese.
I'm the manager of "Portuviagens" Travel Agency.
I live at Avenida João Ribeiro nº 15 - 4º Esq, 1100 Lisboa.

LUÍS: My name is Luís.
I'm 17 years old.
I'm Portuguese. My nationality is Portuguese.
I run errands at the office.
I live at Rua Aquilino Ribeiro nº 43 - 1º Dto, 1900 Lisboa.

I'm Portuguese
I'm French
I'm English
I'm Dutch
I'm German
I'm Swedish
I'm Belgian
I'm Italian

CRISTINA: Bom dia. Estou aqui para uma entrevista. Por favor, quem é a Teresa?

TERESA: Bom dia. Sente-se, por favor. Eu sou a Teresa. Sou a secretária do Sr. Santos.

TERESA: Como se chama?

CRISTINA: Cristina Freitas.

TERESA: Que idade tem?

CRISTINA: 24 anos.

TERESA: É casada?

CRISTINA: Não, sou solteira.

TERESA: Qual é a sua morada?

CRISTINA: Moro na Rua das Janelas Verdes nº 120, 4º Dto. 1200 Lisboa.

TERESA: Tem telefone?

CRISTINA: Sim: é o 78594.

TERESA: Quais são as suas habilitações?

CRISTINA: Sou recepcionista, falo inglês, francês e um pouco de alemão.

TERESA: Escreve à máquina?

CRISTINA: Sim, escrevo.

TERESA: Tem experiência?

CRISTINA: Sim, tenho 2 anos de experiência.

TERESA: Está contratada. Acompanhe-me.

TERESA: Cristina, estes são os seus novos colegas. Aquela ali é a Ana.

ANA: Olá! Muito prazer.

TERESA: Este aqui é o Luís.

LUÍS: Olá! Como está?

CRISTINA: Bem, obrigada. E você?

TERESA: Bom dia, Sr. Santos.

SR. SANTOS: Bom dia.

CRISTINA: Good morning. I'm here for an interview. Please, who is Teresa?

TERESA: Good morning. Please sit down. I'm Teresa. I am Mr. Santos's secretary.

TERESA: What is your name?

CRISTINA: Cristina Freitas.

TERESA: How old are you?

CRISTINA: I'm 24 years old.

TERESA: Are you married?

CRISTINA: No, I'm single.

TERESA: What is your address?

CRISTINA: I live at Rua das Janelas Verdes nº 120 - 4º Dto, 1200 Lisboa.

TERESA: Have you got a telephone?

CRISTINA: Yes, it's number 78594

TERESA: What are your qualifications?

CRISTINA: I am a receptionist, I speak English, French and a little German.

TERESA: Can you type?

CRISTINA: Yes, I can.

TERESA: Have you got any experience?

CRISTINA: Yes, I have 2 years' experience.

TERESA: You're hired. Come with me.

TERESA: Cristina, these are your new colleagues. That one over there is Ana.

ANA: Hello! Pleased to meet you.

TERESA: This one here is Luís.

LUÍS: Hello! How are you?

CRISTINA: Fine, thanks. And you?

TERESA: Good morning, Mr. Santos.

MR. SANTOS: Good morning.

TERESA: Esta aqui é a Cristina, a nova recepcionista. Começa a trabalhar amanhã.

SR. SANTOS: Como está? Bem-vinda à nossa Agência.

CRISTINA: Obrigada, Sr. Santos.

SR.SANTOS: Felicidades e bom trabalho.

TERESA: Cristina, aqui está a sua secretária. O telefone está aqui.

CRISTINA: E onde está o telex?

TERESA: O telex está aí.

CRISTINA: E aquilo ali, o que é?

TERESA: Aquilo ali é o fax.

CRISTINA: E isto aqui?

TERESA: Isso é a agenda dos clientes.

CRISTINA: E onde é a casa de banho?

TERESA: É ali perto daquela porta.

CRISTINA: Desta porta aqui?

TERESA: Sim, dessa aí. Bom, agora já conhece os seus novos colegas e a nossa Agência.

CRISTINA: Muito obrigada por tudo.

TERESA: De nada. Até amanhã às 9 horas.

Que idade tem?

Quais são as suas habilitações?

Sou recepcionista, falo inglês.

Escreve à máquina?

E aquilo ali o que é?

Aquilo ali é o fax.

E isto aqui, o que é?

Isso aí é a agenda dos clientes.

TERESA: This one here is Cristina, the new receptionist. She'll start working tomorrow.

MR. SANTOS: How are you? Welcome to our agency.

CRISTINA: Thank you, Mr. Santos.

MR.SANTOS: Good luck and good work.

TERESA: Cristina, here is your desk. Here is the telephone.

CRISTINA: And where is the telex?

TERESA: The telex is there (next to you).

CRISTINA: And that over there (away from both of us), what is it?

TERESA: That over there is the fax.

CRISTINA: And this?

TERESA: That (next to you) is the customer's agenda.

CRISTINA: And where is the toilet?

TERESA: It's over there, close to that door.

CRISTINA: To this door here?

TERESA: Yes, that one there (next to you). Well, now you know already your new colleagues and our agency.

CRISTINA: Thank you very much for everything.

TERESA: Not at all. See you tomorrow at 9 a.m.

How old <u>are</u> you?

What <u>are</u> your qualifications?

I am a receptionist, I <u>speak</u> English.

Can you <u>type</u>?

And <u>that over there</u>, what is it?

<u>That over there</u> is the fax.

And <u>this</u>?

<u>That</u> is the costumer agenda.

UNIDADE 1
UNIT 1

A ENTREVISTA
THE INTERVIEW

ESTUDO DA LÍNGUA
LANGUAGE STUDY

	Artigo Definido Definite Article			**Artigo Indefinido** Indefinite Article	
	Masc.	**Fem.**		**Masc.**	**Fem.**
Sing.	o (the)	a (the)	**Sing.**	um (a,an)	uma (a,an)
Plur.	os (the)	as (the)	**Plur.**	uns (some)	umas (some)

Ex: **o** telefone — **a** agência — **um** telefone — **uma** agência
os telefones — **as** agências — **uns** telefones — **umas** agências

A, de, and **em** with the Definite Article

The forms of the Definite Article combine with the preposition **a** (to), **de** (of, from, about), and **em (in, at),** as follows:

Preposition + Article

a	+	o	= ao
a	+	a	= à
de	+	o	= do
de	+	a	= da
em	+	o	= no
em	+	a	= na

Preposition + Article

de	+	um	= dum
de	+	uma	= duma
em	+	um	= num
em	+	uma	= numa

Ex: CRISTINA: Moro **na** Rua das Janelas Verdes
^
em+a

Irregular Verbs: **Ter, Ser,** and **Estar**

Infinitive:	TER (to have)	SER (to be)	ESTAR (to be)
eu	tenho	sou	estou
tu	tens	és	estás
você/ele/ela o senhor/ a senhora	tem	é	está
nós	temos	somos	estamos
vocês/eles/elas os senhores/ /as senhoras	têm	são	estão

Ex: TERESA: TEM experiência?
CRISTINA: Sim, TENHO 2 anos de experiência.

Notes:

SER

Indicates an inherent, essential or defining characteristic, with no suggestion of change from any other state.

ESTAR

Indicates an accidental or circumstancial quality: a situation, referring to either place or to a change from, or possibility of changing into, a different state.

Ex: TERESA: Eu **sou** a Teresa. **Sou** a secretária do Sr. Santos.
TERESA: Quais **são** as suas habilitações?
TERESA: Cristina, aqui **está** a sua secretária. O telefone **está** aqui.
TERESA: **Tem** experiência?
CRISTINA: Sim, **tenho** 2 anos de experiência.

Interrogative Expressions

Quem é? (Who is?)

Ex: CRISTINA: **Quem** é a Teresa?
TERESA: Eu sou a Teresa.

Qual é (Which is?)

Ex: TERESA: **Qual é** a sua morada?
CRISTINA: Moro na Rua das Janelas Verdes nº 120 - 4º Dto, 1200 Lisboa*.

Onde está (Where is?)

Ex: CRISTINA: **Onde está** o telex?
TERESA: O telex está aí.

O que é? (What is?)

Ex: CRISTINA: E aquilo ali, **o que é**?
TERESA Aquilo ali é o fax.

Como? (How?)

Ex: LUÍS: **Como** está?

* **NOTE:** Dto = Direito (right hand side) – There is often an indication, in apartment buildings, of the situation of the apartment on its floor. Thus, Esq. = Esquerdo (left hand side), and Frt. = Frente (front or central).

Regular Verbs Ending in -AR/-ER

Present

Infinitive:	FALAR (to speak)	ESCREVER (to write)
Stem:	fal -	escrev -
eu	fal-o	escrev-o
tu	fal-as	escrev-es
você/ele/ela o senhor/ a senhora	fal-a	escrev-e
nós	fal-amos	escrev-emos
vocês/eles/elas os senhores/ /as senhoras	fal-am	escrev-em

Ex: TERESA: **Tenho** 28 anos.
CRISTINA: **Falo** inglês, francês e um pouco de alemão.
TERESA: **Escreve** à máquina?
CRISTINA: Sim, **escrevo**.

Forms of Address

"TU"

"Tu" indicates intimacy. It is used within the family and between close friends, between children or students. It is informal.

"VOCÊ"

"Você" is formal. In practice, the word itself is often omitted.

Ex: TERESA: É casada?

"O SENHOR, A SENHORA"

These are very formal.

Demonstrative Adjectives and Pronouns

The neuter forms ISTO, ISSO, AQUILO refer to something indeterminate or colective (this thing, or, that thing).

	Masc.	**Fem.**	**Neuter**	
aqui (here)	este	esta	isto	this, this one
aí (there)	esse	essa	isso	that, that one
ali (over there)	aquele	aquela	aquilo	that, that one

Ex: CRISTINA: **E isto aqui**, o que é?
TERESA: **Aquilo ali** é o fax.
TERESA: **Isso aí** é a agenda dos clientes.

EXERCÍCIOS
EXERCISES

I

RESPONDA POR FAVOR
PLEASE WRITE THE ANSWERS:

1 - Como se chama?
2 - É casado(a)?
3 - Que idade tem?
4 - Qual é a sua nacionalidade?
5 - Qual é a sua profissão?
6 - Qual é a sua morada?

II

QUEM DIZ?
WHO SAYS?

1 - Escreve à máquina?
2 - Sim, tenho 2 anos de experiência.
3 - Como está? Bem-vinda à nossa Agência.

III

COMPLETE OS ESPAÇOS COM AS PALAVRAS ADEQUADAS
FILL IN THE GAPS WITH SUITABLE WORDS

1 - TERESA: Bom dia. Sente-se ____________________.

2 - CRISTINA: Bom dia. Estou aqui para uma ____________________.

3 - TERESA: Eu sou a Teresa. Sou a ____________________ do Sr. Santos.
Como se ______________?

4 - CRISTINA: ________________ Cristina.

5 - LUÍS: _____________ está?

6 - CRISTINA: ________, obrigada. E _________?

IV

VERDADEIRO OU FALSO?
TRUE OR FALSE?

	Verdadeiro (True)	Falso (False)
1 - A Teresa é secretária do Sr. Santos	☐	☐
2 - A Cristina é casada	☐	☐
3 - A Cristina não escreve à máquina	☐	☐
4 - A Cristina é a nova recepcionista	☐	☐

V

NUMERE AS FRASES DE 1 A 5 DE ACORDO COM O TEXTO
NUMBER THE SENTENCES FROM 1 TO 5 ACCORDING TO THE TEXT

☐ - CRISTINA: Não, sou solteira.

☐ - TERESA: Bom dia. Sente-se, por favor.

☐ - TERESA: Isso aí é a agenda dos clientes.

☐ - SR. SANTOS: Felicidades e bom trabalho.

☐ - TERESA: Está bem. Começa amanhã.

VI

RESPONDA POR FAVOR
PLEASE WRITE THE ANSWERS:

1 - Quem é a Teresa?

2 - Que idade tem a Cristina?

3 - Quem são os novos colegas da Cristina?

4 - O que diz o Sr. Santos?

VII

COMPLETE COM TER - SER - ESTAR
COMPLETE WITH TER - SER - ESTAR

1 - Ela ____________ 24 anos e ____________ solteira.

2 - O telex __________ ali perto da secretária.

3 - Elas ____________ experiência e ___________ boas secretárias.

4 - Eu _________ portuguesa, mas eles não ______________.

VIII

COMPLETE OS ESPAÇOS COM OS TEMPOS ADEQUADOS DOS VERBOS INDICADOS ENTRE PARÊNTESES
FILL IN THE GAPS WITH THE CORRECT TENSES OF THE VERBS SHOWN IN BRACKETS

1 - Ele _________(ser) português, mas também ______________(falar) inglês e alemão.

2 - Ela _____________________(apresentar-se) na Agência às 9 horas.

3 - A Cristina e a Ana ______________(morar) em Lisboa, e __________________(trabalhar) na Agência Portuviagens.

4 - Ela ______________(entrar) na Agência e _________________(falar) com a secretária.

SOLUÇÕES DOS EXERCÍCIOS

I

1 - Chamo-me ____________________________

2 - Sim, sou casado(a) / Não, sou solteiro/a.

3 - Tenho __________ anos.

4 - Sou ____________________________.
A minha nacionalidade é ____________________.

5 - Sou ____________________________.
A minha profissão é ____________________.

6 - Moro na ____________________________.

II

1 - A Teresa
2 - A Cristina
3 - O Sr. Santos

III

1 - TERESA: Bom dia. Sente-se POR FAVOR.
2 - CRISTINA: Bom dia. Estou aqui para uma ENTREVISTA.
3 - TERESA: Eu sou a Teresa. Sou a SECRETÁRIA do Sr. Santos. Como se CHAMA?
4 - CRISTINA: CHAMO-ME Cristina.
5 - LUÍS: COMO está?
6 - CRISTINA: BEM, obrigada. E VOCÊ?

IV

1 - Verdadeiro
2 - Falso
3 - Falso
4 - Verdadeiro

V

1 - TERESA: Bom dia. Sente-se, por favor.
2 - CRISTINA: Não, sou solteira.
3 - TERESA: Está bem. Começa amanhã.
4 - SR. SANTOS: Felicidades e bom trabalho.
5 - TERESA: Isso aí é a agenda dos clientes.

VI

1 - É a secretária do Sr. Santos.
2 - Ela (a Cristina) tem 24 anos.
3 - (São) a Ana, o Luís e a Teresa.
4 - Como está? Bem-vinda à nossa Agência. Felicidades e bom trabalho.

VII

1 - Ela TEM 24 anos e É solteira.
2 - O telex ESTÁ ali perto da secretária.
3 - Elas TÊM experiência e SÃO boas secretárias.
4 - Eu SOU portuguesa, mas eles não SÃO.

VIII

1 - Ele É português, mas também FALA inglês e alemão.
2 - Ela APRESENTA-SE na Agência às 9 horas.
3 - A Cristina e a Ana MORAM em Lisboa e TRABALHAM na Agência Portuviagens.
4 - Ela ENTRA na Agência e FALA com a secretária.

UNIDADE 2

Que Horas São?

MÃE: São 8 horas! Vou acordar o Luís... Luís, são 8 horas!

LUÍS (OFF): Hmm?

MÃE: Acorda e levanta-te.

LUÍS (OFF): Já são 8 horas!?

MÃE: Eu vou sair agora!

LUÍS (OFF) : Que sono! Só mais 5 minutos...

TERESA: São vinte para as dez e o Luís não chega! Ele tem de ir ao banco com urgência.

SR. SANTOS: Bom dia, Teresa.

TERESA: Bom dia, Sr. Santos.

SR. SANTOS: Teresa, há alguma reunião hoje?

TERESA: Vou ver, Sr. Santos. Hoje é dia 20, segunda-feira... Não, Sr. Santos, não há.

SR. SANTOS: Onde está o Luís? Já está no Banco?

TERESA: Não, Sr. Santos, ainda não. O Luís está um pouco atrasado esta manhã.

SR. SANTOS: Mas que horas são?

TERESA: São vinte para as dez.

TERESA: Já são quase 10 horas!

TERESA: Ah! Finalmente! Já são quase 10 horas!

LUÍS: Desculpe, Teresa. O meu relógio está atrasado.

TERESA: Bom, isso não é desculpa. Tens de ter cuidado com o horário.
Olha, tens de ir já ao banco depositar estes cheques.

LUÍS: Não tenho tempo para tomar uma bica?

TERESA: Não. Já estás atrasado.

LUÍS: Mas os bancos só fecham às três da tarde!

UNIT 2

What Time Is It?

MOTHER: It's 8 o'clock. I'm going to wake up Luís. Luís, it's 8 o'clock.

LUÍS (off): Huh?

MOTHER: Wake up and get up!

LUÍS (off): It's already 8 o'clock!?

MOTHER: I'm leaving now!

LUÍS (off): I'm so sleepy! Just five minutes more...

TERESA: It's already twenty to ten and Luís hasn't arrived! He must go urgently to the bank.

MR. SANTOS: Good morning, Teresa.

TERESA: Good morning, Mr. Santos.

MR.SANTOS: Teresa, is there any meeting today?

TERESA: Let me see, Mr. Santos. Today is the 20th Monday... No, Mr. Santos, there isn't.

MR. SANTOS: Where is Luís? Is he at the bank already?

TERESA: No, Mr. Santos, not yet. Luís is a little late this morning.

MR. SANTOS: But, what time is it?

TERESA: It's twenty to ten.

TERESA: It's already almost ten o'clock!

TERESA: At last! It's almost ten o'clock!

LUÍS: Sorry, Teresa. My watch is slow.

TERESA: Well, that is no excuse. You must be careful with your schedule. Look, you must go to the bank at once, to deposit these cheques.

LUÍS: Don't I have the time to have a "bica" (cup of coffee)?

TERESA: No. You're late already.

LUÍS: But banks only close at 3 p.m.!

TERESA: Sim, mas hoje é segunda-feira e às segundas-feiras é preciso ir cedo ao banco.

LUÍS: Ah! É verdade. Desculpe. Há mais cheques para depositar?

TERESA: Ah... sim, há só mais este.

CRISTINA: Teresa, por favor, que horas são?

TERESA: São dez horas em ponto.

CRISTINA: Dez horas! Vou tomar uma bica, queres vir?

8:00 São 8 horas. São 8 horas em ponto.
9:15 São nove e quinze. São nove e um quarto
9:30 São nove e trinta. São nove e meia.
9:40 São nove e quarenta. São vinte para as dez.
9:45 São nove e quarenta e cinco. São um quarto para as dez.

E o Luís está atrasado!

CRISTINA: É uma hora!
No meu relógio é uma hora e dez.
O meu relógio está adiantado!

TERESA: É uma hora!
No meu relógio é uma hora.
O meu relógio está certo.

LUÍS: É uma hora!
No meu relógio são dez para a uma.
O meu relógio está atrasado!

Eu vou sair agora.

Vou ver, Sr. Santos.

Há mais cheques para depositar?

Sim, há só mais este.

TERESA: Yes, but it's Monday today and on Mondays one must go early to the bank.

LUÍS: Oh! That's true. Sorry. Are there any more cheques to deposit?

TERESA: Oh...Yes, there is only one more.

CRISTINA: Teresa, what time is it, please?

TERESA: It's ten o'clock sharp.

CRISTINA: Ten o'clock! I'm going to have a "bica". Are you coming?

8:00 It's 8 o'clock. It's 8 o'clock sharp.
9.15 It's nine fifteen. It's a quarter past nine.
9:30 It's nine thirty. It's half past nine.
9.40 It's nine forty. It's twenty to ten.
9:45 It's nine forty-five. It's a quarter to ten.

And Luís is late!

CRISTINA: It's one o'clock!
On my watch it's 10 past one.
My watch is fast!

TERESA: It's one o'clock!
On my watch it's one o'clock.
My watch is right.

LUÍS: It's one o'clock!
On my watch it's 10 to one.
My watch is slow!

<u>I'm</u> <u>leaving</u> now!

<u>Let me</u> see, Mr. Santos.

<u>Are there</u> any more cheques to deposit?

Oh... Yes, <u>there is</u> only one more.

UNIDADE 2
UNIT 2

QUE HORAS SÃO?
WHAT TIME IS IT?

ESTUDO DA LÍNGUA
LANGUAGE STUDY

Regular Verbs Ending in -IR

Infinitive:	ABRIR (to open)
Stem:	abr -
eu	abr - o
tu	abr - es
você/ele/ela o senhor/ a senhora	abr - e
nós	abr - imos
vocês/eles/elas os senhores/ as senhoras	abr - em

Irregular Verbs

Present

Infinitive:	IR (to go)	VER (to see)
eu	vou	vejo
tu	vais	vês
você/ele/ela o senhor/ a senhora	vai	vê
nós	vamos	vemos
vocês/eles/elas os senhores/ as senhoras	vão	vêem

Infinitive:	SAIR (to go out)	VIR (to come)	DIZER (to say)
eu	saio	venho	digo
tu	sais	vens	dizes
você/ele/ela o senhor/ a senhora	sai	vem	diz
nós	saímos	vimos	dizemos
vocês/eles/elas os senhores/ as senhoras	saem	vêm	dizem

Verb IR + infinitive (going to + infinitive)

The Future is often expressed by using the verb **ir** (to go) plus the infinitive of the verb.

Ex: Eu vou acordar = (I'm going to wake up)

eu	vou acordar
tu	vais acordar
você/ele/ela o senhor/ a senhora	vai acordar
nós	vamos acordar
vocês/eles/elas os senhores/ as senhoras	vão acordar

Ex: MÃE: **Vou acordar** o Luís.

MÃE: Eu **vou sair** agora.

TERESA: **Vou ver**, Sr. Santos.

CRISTINA: Dez horas! **Vou tomar** uma bica.

Haver (there to be, to exist)

This verb is invariable: **Há** means "there is" and "there are".

Ex: LUÍS: **Há** mais cheques para depositar?
TERESA: Sim, **há** só mais este.

Time of day

This is indicated by means of the verb **ser**. The word **hora** (hour) or its plural **horas** may be freely omitted.

Ex: Que horas são? São 8.

às duas horas da manhã	- at 2 a.m.
às cinco da tarde	- at 5 p.m.
às sete da noite	- at 7 p.m.
ao meio-dia	- at noon
à meia-noite	- at midnight

EXERCÍCIOS
EXERCISES

I

RESPONDA POR FAVOR
PLEASE WRITE THE ANSWERS:

1 - Que dia é hoje?
2 - Quantos dias tem a semana? Quais?
3 - Quais são os dias do fim-de-semana?
4 - Que dia é amanhã?

II

QUEM DIZ?
WHO SAYS?

1 - O Luís está um pouco atrasado esta manhã.
2 - Onde está o Luís? Já está no Banco?
3 - Sim, há só mais este.
4 - São dez horas em ponto.

III

COMPLETE OS ESPAÇOS COM AS PALAVRAS ADEQUADAS
FILL IN THE GAPS WITH SUITABLE WORDS

1 - SR. SANTOS: Mas que ___________ são?
2 - TERESA: 9:45. Um ___________ para as dez.
3 - TERESA: Tens de ir já ao banco ______________ estes cheques.
4 - LUÍS: Não tenho tempo de tomar uma ____________?
5 - TERESA: Não, porque já estás _________________.

IV

VERDADEIRO OU FALSO?
TRUE OR FALSE?

	Verdadeiro (True)	Falso (False)
1 - O Sr. Santos chega à Agência muito tarde.	☐	☐
2 - O Luís vai ao banco à segunda-feira.	☐	☐
3 - O banco fecha às 3 horas da tarde.	☐	☐
4 - O relógio do Luís não está atrasado.	☐	☐

V

NUMERE AS FRASES DE 1 A 4 DE ACORDO COM O TEXTO
NUMBER THE SENTENCES FROM 1 TO 4 ACCORDING TO THE TEXT

☐ - CRISTINA: Teresa, por favor, que horas são?
☐ - LUÍS: Ah! É verdade.
☐ - TERESA: São vinte para as dez.
☐ - LUÍS: Ah! Já são 8 horas! Que sono! Só mais 5 minutos...

VI

RESPONDA POR FAVOR
PLEASE WRITE THE ANSWERS:

1 - Quem acorda o Luís todos os dias?
2 - O que é que o Luís vai depositar no banco?
3 - A que horas fecham os bancos em Portugal?

VII

COMPLETE OS ESPAÇOS COM OS TEMPOS ADEQUADOS DOS VERBOS INDICADOS ENTRE PARÊNTESES
FILL IN THE GAPS WITH THE CORRECT TENSES OF THE VERBS SHOWN IN BRACKETS

1 - Hoje ________________(haver) problemas no metro.
2 - Hoje, o Luís ______________(ir) ao banco depositar um cheque.
3 - A Teresa e a Cristina _______________(ir) tomar uma bica.
4 - Os bancos ___________(abrir) às 8:30 e ___________(fechar) às 15:00.

SOLUÇÕES DOS EXERCÍCIOS

I

1 - Hoje é ____________________.
2 - A semana tem 7 dias: domingo, segunda-feira, terça-feira, quarta-feira, quinta-feira, sexta-feira, sábado.
3 - São o sábado e o domingo.
4 - Amanhã é ____________.

II

1 - A Teresa
2 - O Sr. Santos
3 - A Teresa
4 - A Teresa

III

1 - SR. SANTOS: Mas que HORAS são?
2 - TERESA: 9:45. Um QUARTO para as dez.
3 - TERESA: Tens de ir já ao banco DEPOSITAR estes cheques.
4 - LUÍS: Não tenho tempo de tomar uma BICA?
5 - TERESA: Não, porque já estás ATRASADO.

IV

1 - Falso
2 - Verdadeiro
3 - Verdadeiro
4 - Falso

V

4 - CRISTINA: Teresa, por favor, que horas são?
3 - LUÍS: Ah! É verdade.
2 - TERESA: São vinte para as dez.
1 - LUÍS: Ah! Já são 8 horas! Que sono! Só mais 5 minutos.

VI

1 - É a mãe do Luís.
2 - O Luís vai depositar cheques no banco.
3 - Os bancos fecham às três horas da tarde.

VII

1 - Hoje HÁ problemas no metro.
2 - Hoje, o Luís VAI ao banco depositar um cheque.
3 - A Teresa e a Cristina VÃO tomar uma bica.
4 - Os bancos ABREM às 8:30 e FECHAM às 15:00.

UNIDADE 3

Um Fim-de-Semana no Hotel

GERENTE: Boa tarde

TERESA: Boa tarde. Por favor, queremos um quarto para 2 noites.

GERENTE: Não reservaram quarto, pois não?

TERESA: Não, não reservámos. Não têm quartos vagos?

GERENTE: Querem de casal ou individual?

ANA: De casal com duas camas e casa de banho.

GERENTE: Tenho um aqui, sem casa de banho privativa. Não, espere, tenho aqui um bom quarto no último andar.

ANA: E qual é o preço?

GERENTE: São 5.000$00 (25€) com pequeno almoço.

TERESA: Podemos ver o quarto?

GERENTE: Com certeza. Aqui têm a chave. Quarto nº 810. O elevador é à direita.
O andar é o 8º, o último andar.

TERESA: E tem vista para o mar?

GERENTE: Não, este não.

TERESA E ANA: Não? Não, nesse caso não queremos.

ANA: Que pena! Este lugar é tão bonito!

TERESA: Desculpe, vamos procurar noutro hotel.

GERENTE: Com certeza. Boa tarde.

2ª SITUAÇÃO - HOTEL "BOA VIDA" - RECEPÇÃO

GERENTE: Boa tarde. O que desejam?

UNIT 3

A Weekend At The Hotel

MANAGER: Good afternoon.

TERESA: Good afternoon. We want a room for 2 nights, please.

MANAGER: You haven't booked (a room), have you?

TERESA: No, we haven't. Haven't you got any rooms vacant?

MANAGER: Do you want a double or single room?

ANA: A double with two beds and private bathroom.

MANAGER: I have one here, without a private bathroom.
No, wait... I've a good one here, on the top floor.

ANA: And what's the price (how much is it)?

MANAGER: It's 5.000$00 (25€/twenty five euros) with breakfast.

TERESA: Can we have a look at the room?

MANAGER: Certainly. Here is the key. Room number 810. The lift is on the right.
It's the 8th floor, the top floor.

TERESA: And has it got a view over the sea?

MANAGER: No, not this one.

TERESA and ANA: No? In that case we don't want it.

ANA: What a pity! This is such a nice place!

TERESA: Sorry, we're going to look in another hotel.

MANAGER: Certainly. Good afternoon.

2ND SITUATION - "BOA VIDA" HOTEL - RECEPTION

MANAGER: Good afternoon. Can I help you (what do you wish)?

TERESA: Boa tarde. Bem, reservámos um quarto para 2 noites. Em nome de Teresa Ferreira. É um quarto com 2 camas e casa de banho privativa. Telefonámos há uma hora.

GERENTE: Ah! Lembro-me muito bem. Tem toda a razão. É o quarto nº 6.
É um bom quarto com vista para o mar.

ANA: Óptimo!

GERENTE: Importa-se de preencher esta ficha?
TERESA: Ana, por favor assina aqui.

Nome	:	Ana
Apelido	:	Antunes
Data de nascimento	:	23 de Julho de 1966
Bilhete de Indentidade ou Passaporte	:	789759
Profissão	:	Dactilógrafa
Morada	:	Rua D. Dinis nº 30, 7º Dto, 1200 Lisboa
Natural de	:	Lisboa
Nacionalidade	:	Portuguesa
Telefone	:	98567
Assinatura	:	....

JORGE: Desculpe, já terminou? Não se importa de me emprestar a sua caneta?

ANA: Olhe, por favor, a que horas é o pequeno almoço?

GERENTE: Entre as 7 e as 10 da manhã.

TERESA: E onde é?

GERENTE: Ali em frente, no restaurante.

JORGE: Obrigado. Quanto tempo vão ficar no hotel?

ANA: Só 2 dias. E você?

JORGE: Eu vou ficar uma semana. Bem, eu apresento-me.
Chamo-me Jorge Fonseca.

TERESA: Eu sou a Teresa.

ANA: E eu a Ana.

JORGE: De onde são vocês? Não são daqui, pois não?

TERESA: Good afternoon. Well, we have booked a room for 2 nights. Under the name of Teresa Ferreira. It's a room with two beds and private bath. We phoned an hour ago.

MANAGER: Oh! I remember very well. You're quite right. It's room number 6. It's a nice (good) room with a view over the sea.

ANA: Excellent!

MANAGER: Would you mind filling in this form?
TERESA: Please, Ana, sign here.

Name	:	Ana
Surname	:	Antunes
Birthday	:	July 23rd, 1966
I. D. or Passport n.º	:	789759
Profession	:	Typist
Address	:	Rua D. Dinis nº 30, 7º Dto, 1200 Lisboa
Born in	:	Lisbon
Nationality	:	Portuguese
Telephone	:	98567
Signature	:	....

JORGE: Excuse me, have you finished? Would you mind lending me your pen?

ANA: Say, what time is breakfast, please?

MANAGER: Between 7 and 10 a.m.

TERESA: And where is it?

MANAGER: Over there (in front of us), in the restaurant.

JORGE: Thanks. How long are you going to stay at the hotel?

ANA: Only two days. And you?

JORGE: I'm going to stay for a week. Well, I'll introduce myself. My name is Jorge Fonseca.

TERESA: I'm Teresa.

ANA: And I'm Ana.

JORGE: Where are you from? You're not from here, are you?

TERESA: Somos de Lisboa. Moramos no mesmo apartamento. E você? Você é português, não é?

JORGE: Sim, sou português. Vivo em Londres com os meus pais. Estou de férias em Portugal. Quero conhecer o meu País. Encontramo-nos mais logo.... Ah, e obrigado pela caneta.

GERENTE: Aqui têm a chave. É o quarto nº 6. Fica no corredor à esquerda.

ANA: Obrigada.

GERENTE: De nada e boa estadia.

Não reservaram quarto, pois não?

Telefonámos há uma hora.

Desculpe, já terminou?

Lembro-me muito bem.

Bem, eu apresento-me.

Encontramo-nos mais logo.

TERESA: We're from Lisbon. We live in the same apartment. And you? You are Portuguese, aren't you?

JORGE: Yes, I am Portuguese. I live in London with my parents. I'm on holiday in Portugal. I want to know my country. We'll meet later... Oh, and thanks for the pen.

MANAGER: Here is the key. It's room number 6. You'll find it in this corridor on the left.

ANA: Thank you.

MANAGER: Not at all, enjoy your stay.

You haven't booked (a room), have you?

We phoned an hour ago.

Excuse me, have you finished?

I remember very well.

Well, I'll introduce myself.

We'll meet later.

UNIDADE 3
UNIT 3

UM FIM-DE-SEMANA NO HOTEL
A WEEKEND AT THE HOTEL

ESTUDO DA LÍNGUA
LANGUAGE STUDY

Cardinal Numbers

1	um, uma	**11**	onze	**21**	vinte e um/uma
2	dois, duas	**12**	doze	**22**	vinte e dois/duas
3	três	**13**	treze	**23**	vinte e três
4	quatro	**14**	catorze	**30**	trinta
5	cinco	**15**	quinze	**31**	trinta e um/uma
6	seis	**16**	dezasseis	**32**	trinta e dois/duas
7	sete	**17**	dezassete	**40**	quarenta
8	oito	**18**	dezoito	**50**	cinquenta
9	nove	**19**	dezanove	**60**	sessenta
10	dez	**20**	vinte	**70**	setenta

80	oitenta	**900**	novecentos/as
90	noventa	**1.000**	mil
100	cem	**1.099**	mil e noventa e nove
102	cento e dois/duas	**1.100**	mil e cem
120	cento e vinte	**1.101**	mil cento e um/uma
200	duzentos/as	**1.199**	mil cento e noventa e nove
201	duzentos/as e um/uma	**1.200**	mil e duzentos /as
300	trezentos/as	**1.566**	mil quinhentos (as) e sessenta e seis
400	quatrocentos/as	**2.000**	dois (duas) mil
500	quinhentos/as	**100.000**	cem mil
600	seiscentos/as	**200.000**	duzentos/as mil
700	setecentos/as	**1.000.000**	um milhão
800	oitocentos/as	**2.000.000**	dois milhões

NOTE: Except for "um","dois" or the plural hundreds, cardinal numbers are invariable in gender.

Pretérito Perfeito Simples (P.P.S.) - Past Tense

Regular Verbs in -AR

Infinitive:	TERMINAR (to finish)
Stem:	termin-
eu	termin - ei
tu	termin - aste
você/ele/ela o senhor/ a senhora	termin - ou
nós	termin - ámos
vocês/eles/elas os senhores/ as senhoras	termin - aram

Ex: GERENTE: Não **reservaram** quarto, pois não?
TERESA: Não, não **reservámos**.
TERESA: **Telefonámos** há uma hora.
JORGE: Desculpe, já **terminou**?

Irregular Verbs

Infinitive:	PODER (can, may)	
	Present	**Past**
eu	posso	pude
tu	podes	pudeste
você/ele/ela o senhor/ a senhora	pode	pôde
nós	podemos	pudemos
vocês/eles/elas os senhores/ as senhoras	podem	puderam

Reflexive Pronouns

	Subject prounoun	Reflexive pronoun
1st person	eu	me
2nd person	tu	te
3rd person	você, ele ela, etc.	se
1st person	nós	nos
3rd person	vocês, eles, elas, etc.	se

Position: sometimes they follow the verb, sometimes they come before it.
When they follow the verb, we use a hyphen.

NOTE: In the 1st per.plur. the final s before the hyphen is dropped (e.g. nós lembrámo--nos - nós apresentamo-nos)

Reflexive Pronouns precede the verb:

1. in negative statements
2. after interrogative pronouns (o quê? onde? como?)
3. after relative pronouns
4. after some words (já, todo, ainda)

Infinitive:	APRESENTAR-SE (to introduce oneself)
eu	apresento-**me**
tu	apresentas-**te**
você/ele/ela o senhor/ a senhora	apresenta-**se**
nós	apresentamo-**nos**
vocês/eles/elas os senhores/ as senhoras	apresentam-**se**

Ex: GERENTE: Ah! **Lembro-me** muito bem.
JORGE: Bem, eu **apresento-me**. **Chamo-me** Jorge Fonseca.
JORGE: **Encontramo-nos** mais logo.

The use of "pois não?"

This expression is used to confirm a negative statement.

Ex: GERENTE: Não reservaram quarto, **pois não**?
(You haven't booked a room, have you?)

JORGE: De onde são vocês? Não são daqui, **pois não**?
(You're not from here, are you?)

EXERCÍCIOS
EXERCISES

I

RESPONDA POR FAVOR
PLEASE WRITE THE ANSWERS:

1 - Quantos dias a Teresa e a Ana vão ficar no hotel?
2 - Quem preenche a ficha da Ana?
3 - Onde é que a Teresa e a Ana tomam o pequeno almoço? A que horas?
4 - Quem é o Jorge?

II

QUEM DIZ?
WHO SAYS?

1 - Desculpe, já terminou?
2 - Só 2 dias. E você?
3 - Importa-se de preencher esta ficha?
4 - E tem vista para o mar?

III

COMPLETE OS ESPAÇOS COM AS PALAVRAS ADEQUADAS
FILL IN THE GAPS WITH SUITABLE WORDS

1 - GERENTE: Boa tarde. O que ________________?

2 - TERESA: Por favor, queremos um _____________ para duas noites.

3 - GERENTE: Importa-se de _________________ esta ficha?

4 - ANA: A que ____________ é o pequeno almoço?

5 - GERENTE: __________ as 7 e as 10 da manhã.

6 - GERENTE: Fica neste corredor _____ esquerda.

IV

VERDADEIRO OU FALSO?
TRUE OR FALSE?

	Verdadeiro (True)	Falso (False)
1 - A Teresa não quer quarto de casal	☐	☐
2 - A Teresa e a Ana reservaram o quarto em nome da Ana	☐	☐
3 - A Teresa preenche a ficha da Ana	☐	☐
4 - O pequeno almoço é entre as 8 e as 10 horas	☐	☐
5 - O Jorge é português e mora em Portugal	☐	☐

V

NUMERE AS FRASES DE 1 A 5 DE ACORDO COM O TEXTO
NUMBER THE SENTENCES FROM 1 TO 5 ACCORDING TO THE TEXT

☐ - Desculpe, já terminou? Não se importa de me emprestar a sua caneta?
☐ - Desculpe, mas vamos procurar noutro hotel.
☐ - Olhe, por favor, a que horas é o pequeno almoço?
☐ - Aqui têm a chave. É o quarto nº 6. Fica no corredor à esquerda.
☐ - De onde são vocês? Não são daqui, pois não?

VI

ASSINALE A INFORMAÇÃO CORRECTA
TICK THE CORRECT INFORMATION

1 - O Jorge vai ficar no hotel:

2 dias   1 semana   2 semanas

2 - A Teresa e a Ana vão ficar num quarto:

com uma cama   de casal com 2 camas   individual

VII

COMPLETE OS ESPAÇOS COM O PRETÉRITO PERFEITO SIMPLES DOS VERBOS FALAR, RESERVAR, FICAR E TENTAR

FILL IN THE GAPS WITH THE PAST TENSE OF THE VERBS FALAR, RESERVAR, FICAR E TENTAR

1 - Ela ________ com o gerente ao telefone e ___________ um quarto de casal.

2 - A Teresa _____________ outro hotel.

3 - Elas ____________ no hotel só dois dias, mas o Jorge ___________ uma semana.

VIII

COMPLETE OS ESPAÇOS COM OS TEMPOS ADEQUADOS DOS VERBOS INDICADOS ENTRE PARÊNTESES

FILL IN THE GAPS WITH THE CORRECT TENSES OF THE VERBS SHOWN IN BRACKETS

1 - O Jorge _______(ser) português, mas ____________(morar) em Londres.

2 - Ele não _______(ter) caneta e _______________(preencher) a ficha com a caneta da Teresa.

3 - Elas __________(ir) ficar 2 dias no hotel e o Jorge __________(ir) ficar uma semana.

SOLUÇÕES DOS EXERCÍCIOS

I

1 - A Teresa e a Ana vão ficar 2 dias no hotel.
2 - A Teresa.
3 - No restaurante do hotel, entre as 7 e as 10 da manhã.
4 - O Jorge é um português que vive em Londres e está de férias em Portugal.

II

1 - O Jorge.
2 - A Ana.
3 - O gerente.
4 - A Teresa.

III

1 - GERENTE: Boa tarde. O que DESEJAM?
2 - TERESA: Por favor, queremos um QUARTO para duas noites.
3 - GERENTE: Importa-se de PREENCHER esta ficha?
4 - ANA: A que HORAS é o pequeno almoço?
5 - GERENTE: ENTRE as 7 e as 10 da manhã.
6 - GERENTE: Fica no corredor À esquerda.

IV

1 - Falso
2 - Falso
3 - Verdadeiro
4 - Falso
5 - Falso

V

2 - Desculpe, já terminou? Não se importa de me emprestar a sua caneta?
1 - Desculpe, mas vamos procurar noutro hotel.
3 - Olhe, por favor, a que horas é o pequeno almoço?
5 - Aqui têm a chave. É o quarto nº 6. Fica no corredor à esquerda.
4 - De onde são vocês? Não são daqui, pois não?

VI

1 - 1 semana
2 - De casal com 2 camas

VII

1 - Ela FALOU com o gerente ao telefone e RESERVOU um quarto de casal.
2 - A Teresa PROCUROU outro hotel.
3 - Elas FICARAM no hotel só dois dias, mas o Jorge FICOU uma semana.

VIII

1 - O Jorge É português, mas MORA em Londres.
2 - Ele não TEM caneta e PREENCHEU/PREENCHE a ficha com a caneta da Teresa.
3 - Elas VÃO ficar 2 dias no hotel e o Jorge VAI ficar uma semana.

UNIDADE 4

Na Pastelaria

JORGE: Olá, como estão?

TERESA: Olá, estamos bem, mas com muito calor.

ANA: Chegámos agora mesmo. Quer sentar-se aqui connosco?

JORGE: Posso?

ANA: Ora bem, o que é que vamos pedir? Eu estou cheia de fome.

TERESA: Eu vou pedir uma sandes de queijo e um galão. E tu? O que vais pedir?

ANA: Eu quero um prego e uma imperial.

TERESA: Uma imperial? Tu?! Porquê?

ANA: Porque estou com sede.

JORGE: Um galão, uma imperial, um prego?... Mas o que é isso?

ANA: Bom, um galão é um copo de café com leite e um prego é pão com bife...

TERESA: ... e uma imperial é uma cerveja tirada à pressão.

JORGE: Vocês são umas excelentes professoras!

ANA: Ai é? Muito obrigada. E você o que é que vai pedir?

JORGE: Eu queria uma bica e um pastel de nata.

TERESA: Muito bem! Já sabe que uma bica é um café e que um pastel de nata é um bolo típico português!

EMPREGADO: Boa tarde! O que desejam?

ANA: Olhe, queríamos uma imperial, um galão, uma bica, uma sandes de queijo, um pastel de nata e um prego.

EMPRG.: Então, uma imperial, um galão, uma bica, uma sandes de queijo, um pastel de nata e um prego.

JORGE: Então, já passearam muito?

TERESA: Sim, já. Esta região é muito bonita e o tempo está magnífico.

UNIT 4

At The Coffee Shop

JORGE: Hello, how are you?

TERESA: Hello, we're fine, just feeling pretty hot.

ANA: We've only just arrived. Would you like to sit here with us?

JORGE: May I?

ANA: Well, then, what shall we order? I'm starving!

TERESA: I'm going to order a cheese sandwich and a "galão". And you? What are you going to order?

ANA: I want a "prego" and an "imperial".

TERESA: An "imperial"? You?! Why?

ANA: Because I feel thirsty.

JORGE: "Galão", "imperial", "prego"?... But what's that?

ANA: Well, "galão" is a glass of coffee with milk, and "prego" is a steak roll...

TERESA: ... and "imperial" is a draft beer.

JORGE: You two are excellent teachers!

ANA: Oh yes? Thank you very much. And you, what are you going to order?

JORGE: I'd like a "bica" and a "pastel de nata".

TERESA: Very good! You know already that "bica" is a cup of expresso coffee and "pastel de nata" is a typical Portuguese pastry...

WAITER: Good afternoon! What would you like? (Can I help you?)

ANA: Look, we'd like one imperial, one galão, one bica, one cheese sandwich, one pastel de nata, and one prego.

WAITER: So, one imperial, one galão, one bica, one cheese sandwich, one pastel de nata, and one prego.

JORGE: So, have you walked around a lot already?

TERESA: We have, yes. This area is very pretty and the weather is outstanding.

JORGE: Está, está. Amanhã tenciono levantar-me muito cedo para ir à praia. Querem ir comigo? Ah, jogam ténis?

TERESA: Ténis? Não, já tentei várias vezes mas nunca compreendi bem as regras, por isso desisti.

ANA: Eu não jogo muito bem... não jogo desde o último Verão e não trouxe a minha raqueta.

JORGE: Ah! Mas eu trouxe duas. Vamos fazer uma partida de ténis amanhã?

ANA: Está bem. Mas... eu estou um pouco destreinada para jogar consigo!

JORGE: Não há problema.

EMPRG.: Um galão, uma imperial, uma bica, um prego no pão e um pastel de nata.

JORGE: Bom, tenho de ir. Encontramo-nos amanhã na recepção às 9. Está bem?

ANA: Está combinado.

TERESA: Até amanhã.

ANA: Conhecemos um rapaz muito simpático, não achas? Amanhã vamos passar um dia óptimo com ele.

TERESA: Parece que sim. O nosso fim-de-semana começou muito bem.

Quer sentar-se aqui <u>connosco</u>?

Estou um pouco destreinada para jogar <u>consigo</u>!

Vamos passar um dia óptimo <u>com ele</u>.

Nunca <u>compreendi</u> bem as regras, por isso <u>desisti</u>.

Mas eu <u>trouxe</u> duas.

O nosso fim-de-semana <u>começou</u> muito bem.

JORGE: It is, too. Tomorrow, I intend getting up very early to go to the beach. Would you like to come along? Oh, do you play tennis?

TERESA: Tennis? No, I've tried several times already, but I never understood the rules all that well, so I gave up.

ANA: I don't play all that well... I haven't played since last summer and I didn't bring my racket.

JORGE: Oh, but I brought two. Shall we have a match tomorrow?

ANA: All right. But... I'm a little out of practice to play with you!

JORGE: No problem.

WAITER: One galão, one imperial, one bica, one prego, and one pastel de nata.

JORGE: Well, I must go. We'll meet tomorrow at the reception at 9a.m. Is that all right?

ANA: It's settled.

TERESA: See you tomorrow.

ANA: We've met a very pleasant young man, don't you think? Tomorrow, we'll spend a great day with him.

TERESA: Looks like it. Our weekend started off pretty well.

> Would you like to sit here <u>with us</u>?
>
> I'm a little out of practice to play <u>with you</u>!
>
> We'll spend a great day <u>with him</u>.
>
> I never <u>understood</u> the rules all that well, so I <u>gave up</u>.
>
> But I <u>brought</u> two.
>
> Our weekend <u>started</u> off pretty well.

UNIDADE 4
UNIT 4

NA PASTELARIA
AT THE COFFEE SHOP

ESTUDO DA LÍNGUA
LANGUAGE STUDY

Verbs
Pretérito Perfeito Simples (P.P.S.) - The Past Tense

Regular Verbs Ending in -ER and -IR

Infinitive:	COMPREENDER (to understand)	DESISTIR (to give up)
Stem:	compreend -	desist -
eu	compreend-i	desist-i
tu	compreend-este	desist-iste
você/ele/ela o senhor/ a senhora	compreend-eu	desist-iu
nós	compreend-emos	desist-imos
vocês/eles/elas os senhores/ as senhoras	compreend-eram	desist-iram

eu compreendi - I understood
I did understand, I have understood

eu desisti - I gave up
I did give up, I have given up

Ex: TERESA: Ténis? Não, já tentei várias vezes mas nunca **compreendi** bem as regras, por isso **desisti**.

Four Irregular Verbs: Fazer - Pedir - Saber - Trazer

Infinitive:	FAZER (to make)		PEDIR (to ask for)	
	Present	**Past**	**Present**	**Past**
eu	faço	fiz	peço	
tu	fazes	fizeste	pedes	
você/ele/ela o senhor/ a senhora	faz	fez	pede	This verb Pedir is regular in the Past Tense
nós	fazemos	fizemos	pedimos	
vocês/eles/elas os senhores/ as senhoras	fazem	fizeram	pedem	

Infinitive:	SABER (to know, to have knowledge of)		TRAZER (to bring)	
	Present	**Past**	**Present**	**Past**
eu	sei	soube	trago	trouxe
tu	sabes	soubeste	trazes	trouxeste
você/ele/ela o senhor/ a senhora	sabe	soube	traz	trouxe
nós	sabemos	soubemos	trazemos	trouxemos
vocês/eles/elas os senhores/ as senhoras	sabem	souberam	trazem	trouxeram

NOTE: CONHECER (to know, be acquainted with, to recognize). Regular in form. e.g. "conhecemos um rapaz muito simpático"

Ex: TERESA: E tu? O que é que vais **pedir**?
ANA: Não jogo desde o último Verão e não **trouxe** a minha raqueta.

Contraction of the Preposition "com" (with) and the Personal Pronouns

Singular		Plural	
Com + eu	= comigo	Com + nós	= connosco
Com + tu	= contigo		
Com + você	= consigo	Com + vocês	= convosco
Com + o Sr./a Sra.	= consigo	Com + os Srs./as Sras.	= convosco
Com ele	________	Com eles	________
Com ela	________	Com elas	________

Ex: JORGE: Querem ir **comigo**?
ANA: Eu estou um pouco destreinada para jogar **consigo**!

Use of "ter" and "estar com"

ter sede / estar com sede = to be thirsty, to feel thirsty

ter fome / estar com fome = to be hungry, to feel hungry

ter calor/frio
estar com calor/frio
} to be hot/cold, to feel hot/cold

EXERCÍCIOS
EXERCISES

I

RESPONDA POR FAVOR
PLEASE WRITE THE ANSWERS:

1 - O que é que a Teresa pediu?
2 - O que é um galão?
3 - Como é aquela região?
4 - O que é que o Jorge vai jogar com a Ana?
5 - A Teresa joga ténis? Porquê?
6 - A que horas é que eles se vão encontrar na recepção do hotel?

II

QUEM DIZ?
WHO SAYS?

1 - Um galão, uma imperial, um prego. Mas o que é isso?
2 - Estamos bem, mas com muito calor.
3 - Está bem. Mas...eu estou um pouco destreinada para jogar consigo!
4 - Está combinado. Até amanhã.

III

COMPLETE OS ESPAÇOS COM AS PALAVRAS ADEQUADAS
FILL IN THE GAPS WITH SUITABLE WORDS

1 - Estou cheia de ________. Vou pedir uma sandes de __________.
2 - Vou beber uma ______________ porque estou com _____________.
3 - Boa tarde. O que ______________?
4 - Eu não _______ a minha raqueta.
5 - Vocês são umas _________ professoras.

IV

VERDADEIRO OU FALSO?
TRUE OR FALSE?

	Verdadeiro (True)	Falso (False)
1 - A Teresa pediu um prego	☐	☐
2 - Um galão é um copo de café	☐	☐
3 - Uma imperial é um copo de vinho	☐	☐
4 - A Ana não joga ténis muito bem.	☐	☐

V

NUMERE AS FRASES DE 1 A 5 DE ACORDO COM O TEXTO
NUMBER THE SENTENCES FROM 1 TO 5 ACCORDING TO THE TEXT

☐ - Eu não jogo muito bem.
☐ - Está combinado.
☐ - Eu queria uma bica e um pastel de nata.
☐ - Boa tarde. O que desejam?
☐ - Então, já passearam muito?

VI

COMPLETE OS ESPAÇOS COM OS VERBOS INDICADOS ENTRE PARÊNTESES NO PRETÉRITO PERFEITO SIMPLES
FILL IN THE GAPS WITH THE VERBS SHOWN IN BRACKETS IN THE PAST TENSE

1 - Ela ________________ (chegar) agora mesmo.

2 - Eles ________________ (pedir) um galão e uma sandes.

3 - Elas ________________ (passear) muito.

4 - Ela ____________ (tentar) jogar, mas não ____________(compreender) as regras.

VII

COMPLETE COM ESTAR OU TER
COMPLETE WITH ESTAR OR TER

1 - Eu __________ com fome.

2 - Elas __________ sede.

3 - Nós __________ com calor.

SOLUÇÕES DOS EXERCÍCIOS

I

1 - Um galão e uma sandes de queijo.
2 - Um galão é um copo de café com leite.
3 - Aquela região é muito bonita.
4 - Vai jogar ténis.
5 - Não, porque nunca compreendeu muito bem as regras.
6 - Às 9 horas da manhã.

II

1 - O Jorge.
2 - A Teresa.
3 - A Ana.
4 - O Jorge.

III

1 - Estou cheia de FOME. Vou pedir uma sandes de QUEIJO
2 - Vou beber uma IMPERIAL porque estou com SEDE
3 - Boa tarde. O que DESEJAM?
4 - Eu não TROUXE a minha raqueta.
5 - Vocês são umas EXCELENTES professoras.

IV

1 - Falso
2 - Falso
3 - Falso
4 - Verdadeiro

V

4 - Eu não jogo muito bem.
5 - Está combinado.
1 - Eu queria uma bica e um pastel de nata.
2 - Boa tarde. O que desejam?
3 - Então, já passearam muito?

VI

1 - Ela CHEGOU agora mesmo.
2 - Eles PEDIRAM um galão e uma sandes.
3 - Elas PASSEARAM muito.
4 - Ela TENTOU jogar, mas não COMPREENDEU as regras.

VII

1 - Eu ESTOU com fome.
2 - Elas TÊM sede.
3 - Nós ESTAMOS com calor.

UNIDADE 5

Na Agência

ANA: Que dia é hoje, Teresa?

TERESA: Hoje é quarta-feira.

ANA: Não... quantos! Quantos são hoje?

TERESA: Hoje são 21 de Setembro. O Jorge vem cá hoje.

ANA: Sabes, a Cristina faz anos depois de amanhã, na sexta-feira.

TERESA: Quantos anos faz?

ANA: Faz 25. Vamos comprar-lhe um bolo de anos?

TERESA: Boa ideia!

JORGE: Posso entrar?

ANA: Olá Jorge

TERESA: Olá Jorge! Você é realmente muito pontual.

JORGE: Olá! Como estão? Olhem, vamos esquecer esse você formal, não acham? Nós já somos amigos, não somos?

TERESA: Somos, pois! Está combinado.

JORGE: Não estou a interromper o vosso trabalho, pois não?

TERESA: Não, não estamos a fazer nada, estamos só a conversar. É a nossa hora de almoço.

ANA: E às quartas nunca há muito trabalho.

TERESA: Geralmente eu atendo os clientes e a Ana escreve à máquina.

JORGE: Esta Agência é muito simpática. Quem mais trabalha com vocês?

TERESA: A Cristina e o Luís.

JORGE: Onde é que eles foram?

ANA: A Cristina está a almoçar. O Luís foi ao Banco.

JORGE: Como é que é a Cristina?

UNIT 5

At The Agency

ANA: What day is it today, Teresa?

TERESA: Today is Wednesday.

ANA: No… day of the month! What's the date today?

TERESA: Today is September 21st. Jorge is coming around today.

ANA: Do you know, Cristina's birthday is the day after tomorrow, on Friday.

TERESA: How old is she going to be?

ANA: She will be 25. Shall we buy her a birthday cake?

TERESA: Good idea!

JORGE: May I come in?

ANA: Hello, Jorge!

TERESA: Hello, Jorge! You are really punctual.

JORGE: Hello, how are you? Look, let's forget that formal "você", don't you agree? We are already friends, aren't we?

TERESA: Yes, we are. It's settled.

JORGE: I'm not interrupting your work, am I?

TERESA: No, we're not doing anything, we're just chatting. It's our lunch time.

ANA: And on Wednesdays there is never that much work.

TERESA: Usually I attend to clients and Ana does the typing.

JORGE: This agency is quite pleasant.Who else is working with you?

TERESA: Cristina and Luís.

JORGE: Where have they gone?

ANA: Cristina is having lunch. Luís went to the bank.

JORGE: What is Cristina like?

TERESA: Bom, ela não é muito alta, é mais baixa do que eu.

JORGE: Qual é a altura dela?

TERESA: Talvez um metro e sessenta e quatro.

JORGE: É magra? É gorda?

ANA: Bom, é mais magra do que a Teresa...

TERESA: Olha, eu não sou gorda! Está bem... já fui mais magra!

ANA: Oh! Jorge, parece-me que estás muito interessado em conhecer a Cristina?...

JORGE: Ela é loira ou é morena?

ANA: É morena, tem cabelos castanhos.

JORGE: E é tão bonita como vocês?

TERESA: Não, é muito mais bonita.... Nós somos menos bonitas do que ela.

JORGE: Então, minhas amigas, quando é que eu vou conhecer a Cristina?

CRISTINA: Que dia é hoje?

ANA: Hoje é segunda-feira.

CRISTINA: Que dia é amanhã?

ANA: Amanhã é terça-feira.

CRISTINA: Que dia é depois de amanhã?

ANA: Depois de amanhã é quarta-feira.

CRISTINA: Quantos são hoje?

ANA: Hoje são 9 de Agosto. Quais são os dias da semana?

CRISTINA: Os dias da semana são: Segunda-feira, Terça-feira, Quarta-feira, Quinta-feira, Sexta-feira, Sábado e Domingo.

JORGE: Como é que é a Cristina?

TERESA: Bom, ela não é muito alta, é mais baixa do que eu.

ANA: Bom, é mais magra do que a Teresa.

TERESA: Olha, eu não sou gorda! Está bem.... já fui mais magra!

TERESA: Well, she isn't very tall. She's shorter than I.

JORGE: How tall is she? (What is her height?)

TERESA: 1,64 metres, perhaps.

JORGE: Is she thin? Is she fat?

ANA: Well, she is thinner than Teresa...

TERESA: Look, I'm not fat! OK... I've been thinner before!

ANA: Jorge, I'd say you are keen on meeting Cristina?...

JORGE: Is she blond or brunette?

ANA: Brunette, she has brown hair.

JORGE: And is she as pretty as you two?

TERESA: No, she is much prettier... we are less pretty than she is.

JORGE: So, my friends, when am I meeting Cristina?

CRISTINA: What day is it today?

ANA: Today is Monday.

CRISTINA: What day is it tomorrow?

ANA: Tomorrow is Tuesday.

CRISTINA: What day is it the day after tomorrow?

ANA: The day after tomorrow is Wednesday.

CRISTINA: What date is it today?

ANA: Today is the 9th August. Which are the days of the week?

CRISTINA: The days of the week are Monday, Tuesday, Wednesday, Thursday, Friday, Saturday, and Sunday.

JORGE: What is Cristina like?

TERESA: Well, she isn't very tall, she's shorter than I.

ANA: Well, she is thinner than Teresa.

TERESA: Look, I'm not fat! OK... I've been thinner before!

A Cristina é mais baixa do que a Ana.

A Ana é mais magra do que a Cristina.

A Ana é tão simpática como a Cristina.

A Cristina é menos alta do que a Ana.

Não estou a interromper o trabalho, pois não?

Não estamos a fazer nada,

estamos só a conversar.

A Cristina está a almoçar.

Cristina is shorter than Ana.

Ana is thinner than Cristina.

Ana is as kind as Cristina.

Cristina is less tall than Ana.

I'm not interrupting your work, am I?

We're not doing anything,

we're just chatting.

Cristina is having lunch.

UNIDADE 5
UNIT 5

NA AGÊNCIA
AT THE AGENCY

ESTUDO DA LÍNGUA
LANGUAGE STUDY

Two Irregular Verbs in the Past Tense

Infinitive:	IR (to go)	SER (to be)
eu	fui	fui
tu	foste	foste
você/ele/ela o senhor/ a senhora	foi	foi
nós	fomos	fomos
vocês/eles/elas os senhores/ as senhoras	foram	foram

The Verbs SER and IR have an identical Past Tense.

Ex: JORGE: Onde é que eles **foram**?
ANA: O Luís **foi** ao Banco.
TERESA: Está bem.... já **fui** mais magra!

The Days of the Week

O domingo — Sunday
A segunda-feira — Monday
A terça-feira — Tuesday
A quarta-feira — Wednesday
A quinta-feira — Thursday
A sexta-feira — Friday
O sábado — Saturday

O fim-de-semana — the weekend (sábado e domingo)

The termination «feira» is often omitted.

The definite article is normally omitted before the names of the days of the week, except when they are preceded by the preposition «em» and «a».

Ex: TERESA: Hoje é quarta-feira.
ANA: A Cristina faz anos depois de amanhã, **na** sexta-feira.
ANA: E às **quartas** nunca há muito trabalho.

The Comparative

mais... do que (more than)

menos... do que (less than)

Ex: TERESA: Bom, ela não é muito alta, é **mais** baixa **do que** eu.
ANA: Bom, é **mais** magra **do que** a Teresa.
TERESA: Nós somos **menos** bonitas **do que** ela.

tão... como (as… as)

Ex: JORGE: E é **tão** bonita **como** vocês?

Continuous or Progressive Tense

estar a + infinitive = to be + gerund

Ex: JORGE: Não **estou a interromper** o vosso trabalho?...
TERESA: Não, não **estamos a fazer** nada, **estamos** só **a conversar**.
ANA: A Cristina **está a almoçar**.

EXERCÍCIOS
EXERCISES

I

RESPONDA POR FAVOR
PLEASE WRITE THE ANSWERS:

1 - Que dia é hoje?
2 - Quantos são hoje?
3 - Em que dia da semana a Cristina faz anos?
4 - Quantos anos faz a Cristina?
5 - O que é que a Ana faz na Agência?
6 - E a Teresa? O que é que ela faz na Agência?

II

QUEM DIZ?
WHO SAYS?

1 - Quantos anos faz?
2 - Talvez um metro e sessenta e quatro.
3 - Oh! Jorge, parece-me que estás muito interessado em conhecer a Cristina?
4 - E é tão bonita como vocês?

III

COMPLETE OS ESPAÇOS COM AS PALAVRAS ADEQUADAS
FILL IN THE GAPS WITH SUITABLE WORDS

1 - Que ____________ é amanhã?

2 - Hoje é segunda-feira. Amanhã é _________________.

3 - TERESA: Quantos ______________ faz?

4 - ANA: Faz 25. Vamos comprar-lhe um _____________ de anos?

5 - JORGE: ________________ é que é a Cristina?

6 - ANA: É __________________, tem cabelos castanhos.

IV

VERDADEIRO OU FALSO?
TRUE OR FALSE?

	Verdadeiro (True)	Falso (False)
1 - A Cristina faz anos na segunda-feira.	☐	☐
2 - O Jorge é pontual.	☐	☐
3 - A Ana escreve à máquina.	☐	☐
4 - A Cristina é mais gorda do que a Teresa.	☐	☐

V

NUMERE AS FRASES DE 1 A 5 DE ACORDO COM O TEXTO
NUMBER THE SENTENCES FROM 1 TO 5 ACCORDING TO THE TEXT

☐ - Como é que é a Cristina?
☐ - Somos, pois. Está combinado.
☐ - Faz 25 anos. Vamos comprar-lhe um bolo de anos?
☐ - E é tão bonita como vocês?
☐ - A Cristina está a almoçar. O Luís foi ao Banco.

VI

COMPLETE COM A FORMA CORRECTA: ALTO, BAIXO, MAIS ALTO DO QUE, TÃO ALTO COMO
COMPLETE WITH: ALTO, BAIXO, MAIS ALTO DO QUE, TÃO ALTO COMO

Jorge (1,70m) **Pedro (1,70m)** **António (1,90m)** **Cristina (1,60m)**

1 - O Jorge é ____________ ____________ ____________ o Pedro.
2 - O António é ____________________.
3 - O António é ____________ ____________ ____________ o Jorge.
4 - A Cristina é ____________________.

VII

COMPLETE OS ESPAÇOS COM OS VERBOS INDICADOS ENTRE PARÊNTESES NO PRETÉRITO PERFEITO SIMPLES
FILL IN THE GAPS WITH THE VERBS SHOWN IN BRACKETS IN THE PAST TENSE

1 - O Luís ______________(ir) ao banco depositar cheques.
2 - A Teresa e a Ana não ________________(ir) almoçar com a Cristina.
3 - A Teresa ____________________(trabalhar) muito durante a manhã
e a Cristina ________________________(escrever) muito à máquina.

SOLUÇÕES DOS EXERCÍCIOS

I

1 - Hoje é ______________________________ .
2 - Hoje são ______________________________ .
3 - A Cristina faz anos na sexta-feira.
4 - Ela faz 25 anos.
5 - A Ana escreve à máquina.
6 - A Teresa atende os clientes.

II

1 - A Teresa.
2 - A Teresa.
3 - A Ana.
4 - O Jorge.

III

1 - Que DIA é amanhã?
2 - Hoje é segunda-feira. Amanhã é TERÇA-FEIRA.
3 - TERESA: Quantos ANOS faz?
4 - ANA: Faz 25. Vamos comprar-lhe um BOLO de anos?
5 - JORGE: COMO é que é a Cristina?
6 - ANA: É MORENA, tem cabelos castanhos.

IV

1 - Falso
2 - Verdadeiro
3 - Verdadeiro
4 - Falso

V

4 - Como é que é a Cristina?
2 - Somos, pois. Está combinado.
1 - Faz 25 anos. Vamos comprar-lhe um bolo de anos?
5 - E é tão bonita como vocês?
3 - A Cristina está a almoçar. O Luís foi ao Banco.

VI

1 - O Jorge é TÃO ALTO COMO o Pedro.
2 - O António é ALTO.
3 - O António é MAIS ALTO DO QUE o Jorge.
4 - A Cristina é BAIXA.

VII

1 - O Luís FOI ao banco depositar cheques.
2 - A Teresa e a Ana não FORAM almoçar com a Cristina.
3 - A Teresa TRABALHOU muito durante a manhã e a Cristina ESCREVEU muito à máquina.

UNIDADE 6

No Restaurante

JORGE:	Boa noite
EMPREGADO:	Boa noite. É para jantar?
JORGE:	É sim. Tem uma mesa para nós?
EMPRG.:	Por favor, quantos são?
JORGE:	Somos três.
EMPRG.:	Há aqui uma boa mesa.
JORGE:	Óptimo. Obrigado.
EMPRG.:	Por aqui, por favor.
EMPRG.:	Com licença...obrigado.
SENHORA:	Faz favor.
EMPRG.:	Obrigado.
ANA:	Olhe, desculpe. Esta mala é sua?
SENHORA:	Não, a minha mala está aqui.
ANA:	Sabe de quem é esta mala?
EMPRG.:	Não é sua?
TERESA:	Minha? Não, não é minha e também não é delas.
EMPRG.:	Um momento, por favor.
EMPRG.:	Então o que desejam?
ANA:	Para mim um caldo verde e um bacalhau cozido com batatas e legumes.
EMPRG.:	Um caldo verde e um bacalhau cozido com batatas e legumes.
EMPRG.:	E a senhora?
TERESA:	Eu queria sardinhas assadas e uma salada mista.
EMPRG.:	Uma dose de sardinhas assadas e uma salada mista.

UNIT 6

At The Restaurant

JORGE: Good evening.

WAITER: Good evening. Is it for dinner?

JORGE: Yes, it is. Have you got a table for us?

WAITER: How many are you, please?

JORGE: We are three.

WAITER: There's a good table here.

JORGE: Excellent, thank you.

WAITER: This way, please.

WAITER: Excuse me (may I?).... thank you

LADY: By all means (go ahead).

WAITER: Thank you.

ANA: Say, is this handbag yours?

LADY: No, my handbag is here.

ANA: Do you know whose handbag is this?

WAITER: Isn't it yours?

TERESA: Mine? No, it's not mine and it's not theirs either.

WAITER: Just a moment, please.

WAITER: What will it be, then? (Can I help you, then?)

ANA: For me, "caldo verde" (broth made with shredded cabbage) and boiled codfish with potatoes and vegetables.

WAITER: Caldo verde and boiled codfish with potatoes and vegetables.

WAITER: And for you, miss?

TERESA: I would like grilled sardines and a mixed salad.

WAITER: One portion of grilled sardines and a mixed salad.

JORGE: Bom, eu não quero peixe, prefiro carne. Apetece-me carne de porco à alentejana. Meia dose é suficiente?

EMPRG.: Depende. Mas acho que sim.

JORGE: Então meia dose para mim.

EMPRG.: Meia dose de carne de porco à alentejana...

EMPRG.: E o que desejam para beber?

JORGE: Queria vinho da casa.

EMPRG.: Branco ou tinto?

JORGE: Meia garrafa de tinto, se faz favor. E vocês, também querem vinho?

ANA: Não, não me apetece. Prefiro uma imperial.

TERESA: Eu quero uma água mineral sem gás.

EMPRG.: Meia garrafa de vinho tinto, uma imperial e uma água mineral sem gás.

EMPRG.: Aqui estão os pratos, os garfos, as facas e os copos. Ah! Também uma colher de sopa para esta senhora.

TERESA: E os guardanapos?

EMPRG.: Aqui estão eles.

ANA: Mas, onde está o meu guardanapo?

EMPRG.: Aqui está ele.

EMPRG.: E para a vossa sobremesa?

ANA: Já sabe de quem é a mala?

EMPRG.: Ainda não, mas não se preocupe. Vamos tentar descobrir a dona.

JORGE: Para a sobremesa há arroz doce, mousse de chocolate e pudim flan...
Para mim, um arroz doce, por favor.

ANA: Para mim também.

TERESA: Para mim uma mousse de chocolate.

EMPRG.: Desejam mais alguma coisa?

JORGE: Não, apenas 3 bicas e a nossa conta, se faz favor

JORGE: Well, I don't want fish, I prefer meat. I feel like having roast pork, Alentejo style. Is a half portion enough?

WAITER: It depends. But yes, I think so.

JORGE: Half a portion for me, then.

WAITER: Half portion of roast pork, Alentejo style.

WAITER: And what would you like to drink?

JORGE: I would like the house wine.

WAITER: White or red?

JORGE: Half-bottle of red, please. And you, will you have wine too?

ANA: No, I don't feel like it. I'd rather have an "imperial"

TERESA: A mineral water, without gas, for me.

WAITER: A half bottle of red wine, an "imperial" and a mineral water without gas.

WAITER: Here are the plates, the forks, the knives and the glasses. Oh! And also a soup spoon for this lady.

TERESA: What about the napkins?

WAITER: Here they are!

ANA: But, where is my napkin?

WAITER: Here it is.

WAITER: And for your dessert?

ANA: Do you know already whose handbag it is?

WAITER: Not yet, but don't worry. We'll try to find the owner.

JORGE: For dessert there is rice pudding, chocolate mousse and caramel custard... Rice pudding for me, please.

ANA: For me, too.

TERESA: A chocolate mousse for me.

WAITER: Would you like anything else?

JORGE: No, only 3 "bicas" and our bill please.

Esta mala é sua?

Não, a minha mala está aqui.

Sabe de quem é esta mala?

E também não é delas.

Mas onde está o meu guardanapo?

Is this handbag <u>yours</u>?

No, <u>my</u> handbag is here.

Do you know <u>whose</u> handbag is this?

And it's not <u>theirs</u> either.

But, where is <u>my</u> napkin?

UNIDADE 6
UNIT 6

NO RESTAURANTE
AT THE RESTAURANT

ESTUDO DA LÍNGUA
LANGUAGE STUDY

THE POSSESSIVE

The Possessive in Portuguese agrees in number and gender with the object.

	MASCULINO Masculine		**FEMININO** Feminine	
	Sing.	**Plural**	**Sing.**	**Plural**
EU................	o meu	os meus	a minha	as minhas
TU................	o teu	os teus	a tua	as tuas
VOCÊ O Sr. (directo) A Sra	o seu	os seus	a sua	as suas
ELE.............. ELA..............	o ..... dele o ..... dela	os ..... dele os ..... dela	a ..... dele a ..... dela	as ..... dele as ..... dela
NÓS.............	o nosso	os nossos	a nossa	as nossas
VOCÊS Os Srs. (directo) As Sras.	o vosso	os vossos	a vossa	as vossas
ELES............... ELAS...............	o .... deles o .... delas	os .... deles os .... delas	a .... deles a .... delas	as .... deles as .... delas

- The Possessive is used either as an adjective (my/ your) or as a pronoun (mine/ yours)

- The Possessive, when used before a noun, must be preceded by the definite article.

Ex: ANA: Esta mala é **sua**?
SENHORA: Não, **a minha** mala está aqui.
EMPRG.: Não é **sua**?
TERESA: **Minha**? Não, não é **minha** e também não é **delas**.
ANA: Mas, onde está **o meu** guardanapo?

De quem? (Whose?)

Ex: ANA: Sabe **de quem** é esta mala?
EMPRG.: Não é **sua**?

EXERCÍCIOS
EXERCISES

I

RESPONDA POR FAVOR
PLEASE WRITE THE ANSWERS:

1 - O que é que a Ana vai pedir para jantar?
2 - Meia dose é suficiente para o Jorge?
3 - A Ana também vai beber vinho?
4 - O que é que o empregado pôs na mesa?

II

QUEM DIZ?
WHO SAYS?

1 - É sim. Tem uma mesa para nós?
2 - Com licença... Obrigado.
3 - E vocês, também querem vinho?
4 - Mas, onde está o meu guardanapo?

III

COMPLETE OS ESPAÇOS COM AS PALAVRAS ADEQUADAS
FILL IN THE GAPS WITH SUITABLE WORDS

1 - Com ______________ ... Obrigado.

2 - ______________ mim um caldo verde.

3 - Meia ______________ é suficiente?

4 - Para mim uma água mineral sem ______________.

5 - Temos vinho ______________ e tinto.

6 - Apenas três ______________ e a nossa conta, por favor.

IV

VERDADEIRO OU FALSO?
TRUE OR FALSE?

	Verdadeiro (True)	Falso (False)
1 - Não há uma mesa livre no restaurante	☐	☐
2 - O Jorge prefere peixe.	☐	☐
3 - Meia dose não é suficiente para o Jorge.	☐	☐
4 - Eles pediram uma garrafa de vinho branco.	☐	☐

V

NUMERE AS FRASES DE 1 A 5 DE ACORDO COM O TEXTO
NUMBER THE SENTENCES FROM 1 TO 5 ACCORDING TO THE TEXT

☐ - Não, a minha mala está aqui.
☐ - Meia garrafa de tinto, se faz favor.
☐ - Não, apenas 3 bicas e a nossa conta se faz favor.
☐ - Há ali uma boa mesa.
☐ - Então o que desejam?

VI

ASSINALE A INFORMAÇÃO CORRECTA
TICK THE CORRECT INFORMATION

O Jorge pediu:

1 - Uma garrafa de branco	meia garrafa de tinto	meia garrafa de branco

Quem quis sopa?

2 - A Teresa	O Jorge	A Ana

VII

COMPLETE COM PRONOMES POSSESSIVOS
COMPLETE WITH POSSESSIVE PRONOUNS

1 - ________________ prato está aqui (eu)

2 - O garfo ____________ está no chão (Ana)

3 - As bicas ____________ estão frias (Jorge e Teresa)

4 - Esta mesa é _______________ (nós)

VIII

COMPLETE OS ESPAÇOS COM: MEU, VOSSAS, SEU E NOSSAS
FILL IN THE GAPS WITH: MEU, VOSSAS, SEU, AND NOSSAS

1 - Este guardanapo é ______________? (você)

2 - Não, esse guardanapo não é ______________. (eu)

3 - Onde estão as ___________________ malas? (vocês)

4 - As _________________ malas estão na cadeira. (nós)

SOLUÇÕES DOS EXERCÍCIOS

I

1 - Ela vai pedir um caldo verde e um bacalhau cozido com batatas e legumes.
2 - Sim, é suficiente.
3 - Não, ela vai beber uma imperial.
4 - Ele pôs na mesa os pratos, os garfos, as facas, os copos e os guardanapos.

II

1 - O Jorge
2 - O empregado
3 - O Jorge
4 - A Ana.

III

1 - Com licença... Obrigado.
2 - PARA mim um caldo verde.
3 - Meia DOSE é suficiente?
4 - Para mim uma água mineral sem GÁS.
5 - Temos vinho BRANCO e tinto.
6 - Apenas três BICAS e a nossa conta, por favor.

IV

1 - Falso.
2 - Falso.
3 - Falso.
4 - Falso.

V

2 - Não, a minha mala está aqui.
4 - Meia garrafa de tinto, se faz favor.
5 - Não, apenas 3 bicas e a nossa conta se faz favor.
1 - Há ali uma boa mesa.
3 - Então o que desejam?

VI

1 - meia garrafa de tinto
2 - A Ana

VII

1 - O MEU prato está aqui.
2 - O garfo DELA está no chão.
3 - As bicas DELES estão frias.
4 - Esta mesa é NOSSA.

VIII

1 - Este guardanapo é SEU?
2 - Não, esse guardanapo não é MEU.
3 - Onde estão as VOSSAS malas?
4 - As NOSSAS malas estão na cadeira.

UNIDADE 7

Vamos às Compras

SALA DE ESTAR DA ANA E DA TERESA

TERESA: O Jorge e a Cristina vêm cá hoje à noite. Temos de fazer algumas compras.

ANA: Finalmente o Jorge vai conhecer a Cristina. Ele queria tanto conhecê-la!

TERESA: Bem, ela também gostava de o conhecer! Nós falávamos tanto dele!

ANA: Bom, temos de ir às compras! Eu vou ao mercado e tu vais à mercearia.

TERESA: Não achas melhor fazermos uma lista? Escreve lá:

Mercearia: queijo, ovos, leite, açúcar e arroz
Mercado: fruta e legumes para salada

Ana, eu preferia ir ao mercado, está bem?

NA MERCEARIA

ANA: Bom dia.

EMPREGADO: Bom dia, menina. O que é que vai hoje?

ANA: Queria uma dúzia de ovos, um litro de leite, um quilo de açúcar e um quilo de arroz. Ah, e queijo também.

EMPRG.: Não há leite. Acabou esta manhã.

ANA: A como é o queijo? O último era muito bom.

EMPRG.: Este é a 1.800$00 (8,98€) o quilo. É muito bom também.

ANA: Dê-me então 300 g, por favor. Desculpe, prefiro este pedaço aqui. Quanto é tudo?

EMPRG.:

Ora, uma dúzia de ovos...são	280$00 (1,40€)
Um quilo de açúcar	130$00 (0,65€)
Um quilo de arroz	260$00 (1,30€)
300 g de queijo	540$00 (2,69€)
Soma tudo	1.210$00 (6,04€)

ANA : Tome lá, por favor.

UNIT 7

Let's go Shopping

ANA AND TERESA'S APARTMENT

TERESA: Jorge and Cristina are coming around tonight. We must do some shopping.

ANA: At last Jorge is going to meet Cristina. He's been wanting so much to meet her!

TERESA: Well, she would like to meet him, too! We were talking so much about him!

ANA: Well, we must go shopping! I'll go to the market and you'll go to the grocery store.

TERESA: Don't you think it's better that we make a list? Write it down:

Grocer's: cheese, eggs, milk, sugar and rice.
Market: fruit and vegetables for the salad

Ana, I would rather go to the market, is that all right?

AT THE GROCERY STORE

ANA: Good morning.

EMPLOYEE: Good morning, Miss. What will it be today?

ANA: I would like a dozen eggs, one litre of milk, one kilo of sugar, and one kilo of rice. Oh, and some cheese, too.

EMPLOYEE: There isn't any milk. It was sold out this morning.

ANA: How much is the cheese? The last one was very good.

EMPLOYEE: This one is 1.800$00 (8,98€) per kilo. It's also very good.

ANA: Then, give me 300g, please. Sorry, I prefer this portion here. How much is it all?

EMPLOYEE: Well, one dozen eggs... it's 280$00 (1,40€)

1 kg sugar	130$00 (0,65€)
1 kg rice	260$00 (1,30€)
300g cheese	540$00 (2,69€)
sum total	1.210$00 (6,04€)

ANA: There you are, please.

EMPRG.: Não tem mais pequeno?

ANA: Talvez. Vou ver. Tinha, realmente, mas agora já não tenho. Ontem comprei algumas coisas e gastei-o.

EMPRG.: Aqui tem o seu troco. Obrigado.

ANA: Bom dia.

EMPRG.: Bom dia.

NO MERCADO

VENDEDEIRA: Olá! Como vai?

TERESA: Estou bem, obrigada.

VEND.: Há muito que não a via cá!

TERESA: Ora deixe-me ver o que tem hoje! A como são estas pêras? Estão maduras?

VEND.: O quilo é a 245$00 (1,22€). Pode comprar à vontade. São de confiança.

TERESA: Pese-me um quilo, por favor.

TERESA: E as uvas a como são? São doces?

VEND.: Oh! São docinhas. A menina pode provar. São a 250$00 (1,25€) o quilo.

TERESA: São boas, são. Dê-me um quilo, por favor. Ah, tem bananas? Costumava ter bananas muito boas.

VEND.: Hoje, por acaso, não tenho.

TERESA: Não tem importância. Agora para a salada queria: esta alface, dois ou três tomates, três cenouras e 2 cebolas. E por hoje é tudo.

APARTAMENTO DA ANA E DA TERESA

ANA: Olá, Jorge. Já estávamos à tua espera. A Cristina já chegou.

JORGE: Mas eu não estou atrasado, pois não? São agora 8 horas!

ANA: Bem, Jorge, vem cá.

ANA: Jorge, apresento-te a Cristina. Cristina, apresento-te o Jorge.

JORGE e CRISTINA: Prazer.

JORGE: Ah! Parabéns.

EMPLOYEE: Don't you have a smaller bill?

ANA: Perhaps. I'll see. I did have it but now I don't. Yesterday, I bought a few things and spent it.

EMPLOYEE: Here is your change and thank you.

ANA: Good morning

EMPLOYEE: Good morning

AT THE MARKET PLACE

SELLER: Hello! How are you?

TERESA: I'm fine, thanks.

SELLER: I haven't seen you here for a long time.

TERESA: Let me see what you have today. How much are these pears? Are they ripe?

SELLER: They're at 245$00 (1,22€) per kilo. You can buy, have no worry. They are top quality (trustworthy).

TERESA: Weigh me one kilo, please.

TERESA: And the grapes, how much are they? Are they sweet?

SELLER: Oh! They are really sweet. You can taste them, miss. Thcy are 250$00 (1,25€) per kilo.

TERESA: They are good indeed! Give me a kilo, please. Oh, have you got bananas? You used to have very good bananas.

SELLER: Today, as it happens, I haven't any.

TERESA: Never mind. Now for the salad I would like: this lettuce, 2 or 3 tomatoes, 3 carrots and 2 onions. And that's all for today.

ANA AND TERESA'S APARTMENT

ANA: Hello, Jorge. We were waiting for you already. Cristina has already arrived.

JORGE: But I am not late, am I? It's now 8 o'clock!

ANA: Well, Jorge, come here.

ANA: Jorge, let me introduce Cristina (to you). Cristina, let me introduce Jorge (to you).

JORGE and CRISTINA: Pleased to meet you!

JORGE: Oh! Happy birthday.

Nós <u>falávamos</u> tanto do Jorge!

<u>Tinha</u>... mas agora já não tenho.

Há muito que não a <u>via</u> por cá!

<u>Costumava</u> ter bananas.

<u>Escreve</u> lá.

<u>Dê-me</u> então 300 gramas.

<u>Deixe-me</u> ver o que tem hoje.

Bem, Jorge, <u>vem</u> cá.

We were talking so much about him!

I did have it but now I don't.

I haven't seen you here for a long time.

You used to have bananas

Write it down.

Then, give me 300g, please

Let me see what you have today.

Well, Jorge come here

UNIDADE 7
UNIT 7

VAMOS ÀS COMPRAS
LET'S GO SHOPPING

ESTUDO DA LÍNGUA
LANGUAGE STUDY

PRETÉRITO IMPERFEITO DO INDICATIVO
THE IMPERFECT INDICATIVE

Regular Verbs in -ar, -er, -ir

Infinitive:	FALAR (to speak)	QUERER (to want)	PREFERIR (to prefer)
eu	fal-ava	quer-ia	prefer-ia
tu	fal-avas	quer-ias	prefer-ias
você/ele/ela o senhor/ a senhora	fal-ava	quer-ia	prefer-ia
nós	fal-ávamos	quer-íamos	prefer-íamos
vocês/eles/elas os senhores/ as senhoras	fal-avam	quer-iam	prefer-iam

NOTE:

It is often difficult to distinguish between the use of the Imperfect and the use of the Past in Portuguese.

The Imperfect is used for a continuous or repeated action in the past, without indication of its beginning or end.

The Past, on the other hand, is used to indicate past actions with a definite duration, beginning, or end.

Ex: The Imperfect:

TERESA: Nós **falávamos** tanto dele!
VENDEDEIRA: Há muito que não a **via** cá!
TERESA: **Costumava** ter umas bananas deliciosas.
TERESA: Já **estávamos** à tua espera.

Ex: The Past Tense

EMPREGADA: Não há leite. **acabou** esta manhã.
ANA: Ontem **comprei** algumas coisas e **gastei-o**.
TERESA: A Cristina já **chegou**.

Irregular Imperfects:

Ter (to have) - tinha, tinhas, tinha, tínhamos, tinham

Vir (to come) - vinha, vinhas, vinha, vínhamos, vinham

Ser (to be) - era, eras, era, éramos, eram

Pôr (to put) - punha, punhas, punha, púnhamos, punham

Ex: ANA: **Tinha**, realmente, mas agora já não tenho.
ANA: A como é o queijo? O último **era** muito bom.

IMPERATIVO
IMPERATIVE

- We form the Imperative (você/vocês) from the present (first person) by crossing out the letter "o" and adding "e" (1st conjugation verbs), or "a" (2nd and 3rd conjugation verbs)

- We form the Imperative (tu) from the third person of the Present (1st/ 2nd/ 3rd conjugation verbs).

- ar Verbs
Pesar (to weigh)

IMPERATIVE

Present Indicative	Tu	Você	Vocês
(eu) pes(o)		pes+e	pes+em
(ele) pesa	pesa		

- er and -ir Verbs

Escrever (to write) **Abrir (to open)**

IMPERATIVE

Present Indicative	Tu
(ele) escreve	escreve
(ele) abre	abre

IMPERATIVE

Present Indicative	Você	Vocês
(eu) escrev(o)	escrev+a	escrev+am
(eu) abr(o)	abr+a	abr+am

Irregular Imperatives

Ser - (você) **seja** - (vocês) **sejam** - (tu) **sê**

Estar - (você) **esteja** - (vocês) **estejam**

Haver - **haja**

Dar - (você) **dê** - (vocês) **dêem**

Saber - (você) **saiba** - (vocês) **saibam**

Querer - (você) **queira** - (vocês) **queiram**

Ir - (você) **vá** - (vocês) **vão**

Ex: TERESA: **Escreve** lá.
ANA: **Dê-me** então 300 g, por favor.
ANA: **Tome** lá, por favor
TERESA: **Deixe-me** ver o que tem hoje!
TERESA: Então **pese-me** um quilo por favor.
ANA: Bem, Jorge, **vem** cá.

EXERCÍCIOS
EXERCISES

I

RESPONDA POR FAVOR
PLEASE WRITE THE ANSWERS:

1 - Quem vai jantar com a Teresa e a Ana?
2 - Porque é que a Cristina queria conhecer o Jorge?
3 - Onde é que elas vão fazer compras?
4 - Como era o último queijo que a Ana comprou?
5 - A como eram as uvas?
6 - A que horas chegou o Jorge?

II

QUEM DIZ?
WHO SAYS?

1 - Escreve lá
2 - Há muito que não a via cá!
3 - Olá, Jorge. Já estávamos à tua espera.
4 - Bem, Jorge, vem cá. Jorge, apresento-te a Cristina.

III

COMPLETE OS ESPAÇOS COM AS PALAVRAS ADEQUADAS
FILL IN THE GAPS WITH SUITABLE WORDS

1 - TERESA: Não achas melhor fazermos uma ______________?
2 - Na ______________________ compra-se queijo, ovos, açúcar e arroz.
3 - EMPREGADO: Não tem mais pequeno? Aqui tem o seu ______________.
4 - TERESA: Quanto _____________ estas pêras?
5 - VENDEDEIRA: Oh! São docinhas. A menina pode ________________.

IV

VERDADEIRO OU FALSO?
TRUE OR FALSE?

	Verdadeiro (True)	Falso (False)
1 - A Ana e a Cristina vão ao mercado.	☐	☐
2 - A Ana comprou queijo.	☐	☐
3 - A Teresa vai ao mercado todos os dias.	☐	☐
4 - A vendedeira costumava ter bananas deliciosas.	☐	☐

V

NUMERE AS FRASES DE 1 A 5 DE ACORDO COM O TEXTO
NUMBER THE SENTENCES FROM 1 TO 5 ACCORDING TO THE TEXT

☐ - Bom dia, menina. O que é que vai hoje?
☐ - Mas eu não estou atrasado, pois não?
☐ - Jorge, apresento-te a Cristina.
☐ - Não achas melhor fazermos uma lista?
☐ - Tome lá, por favor.

VI

ASSINALE A INFORMAÇAO CORRECTA
TICK THE CORRECT INFORMATION

1 - A como é o quilo do queijo?
1.200$00 (6€) 1.000$00 (5€) 1.800$00 (8,98€)

2 - No mercado a Teresa comprou estas frutas:
bananas e pêras pêras, uvas e bananas pêras e uvas

VII

COMPLETE COM O PPS OU O IMPERFEITO
COMPLETE WITH THE PAST TENSE OR THE IMPERFECT TENSE

1 - Ontem, ela ________________(comprar) legumes e fruta no mercado.

2 - Ela não __________________ (ter) uma nota mais pequena, porque a gastou ontem.

3 - A vendedeira __________________(costumar) ter bananas deliciosas quando a Teresa ia ao mercado.

4 - A Teresa, a Ana e a Cristina __________________(estar) à espera do Jorge, quando ele chegou.

VIII

COMPLETE OS ESPAÇOS
FILL IN THE GAPS

1 - Já não ______________(haver) leite. O leite ___________________(acabar).

2 - Ontem, a Ana _______________________(gastar) muito dinheiro no mercado.

3 - A Teresa está a provar as uvas e elas _______________(ser) muito doces.

4 - Agora, a vendedeira não ______________________ (ter) bananas.

SOLUÇÕES DOS EXERCÍCIOS

I

1 - O Jorge e a Cristina.
2 - Porque a Ana e a Teresa falavam muito do Jorge.
3 - Elas vão fazer compras à mercearia e ao mercado.
4 - Era muito bom.
5 - Eram a 250$00 (1,25€) o quilo.
6 - O Jorge chegou às 8 horas.

II

1 - A Teresa
2 - A vendedeira
3 - A Teresa
4 - A Ana

III

1 - Teresa: Não achas melhor fazermos uma LISTA?
2 - Na MERCEARIA compra-se queijo, ovos, açúcar e arroz.
3 - EMPRG.: Não tem mais pequeno? Aqui tem o seu TROCO.
4 - TERESA: Quanto CUSTAM estas pêras?
5 - VEND.: Oh! São docinhas. A menina pode PROVAR.

IV

1 - Falso
2 - Verdadeiro
3 - Falso
4 - Verdadeiro

V

3 - Bom dia, menina. O que é que vai hoje?
4 - Mas eu não estou atrasado, pois não?
5 - Jorge, apresento-te a Cristina.
1 - Não achas melhor fazermos uma lista?
2 - Tome lá, por favor.

VI

1 - 1.800$00 (8,98€)
2 - pêras e uvas

VII

1 - Ontem, ela COMPROU legumes e fruta no mercado.
2 - Ela não TINHA uma nota mais pequena, porque a gastou ontem.
3 - A vendedeira COSTUMAVA ter bananas deliciosas quando a Teresa ia ao mercado.
4 - A Teresa, a Ana e a Cristina ESTAVAM à espera do Jorge, quando ele chegou.

VIII

1 - Já não HÁ leite. O leite ACABOU.
2 - Ontem, a Ana GASTOU muito dinheiro no mercado.
3 - A Teresa está a provar as uvas e elas SÃO muito doces.
4 - Agora a vendedeira não TEM bananas.

UNIDADE 8

Vamos ao Correio

SALA DE JANTAR DA ANA E DA TERESA

ANA: Sabes que é a primeira vez que o Jorge está em Portugal?

CRISTINA: A sério? E está a gostar?

JORGE: Estou a gostar muito.

CRISTINA: Há quanto tempo está em Portugal?... Ah, obrigada...
Há quanto tempo está em Portugal?...

JORGE: Há uma semana.

CRISTINA: Uma semana?! Tão pouco tempo! E quando vai para Londres?

JORGE: Bom, vou ficar mais três semanas ou um mês... ainda não conheci nada de Lisboa.

TERESA: Pois eu penso que a Cristina é uma óptima guia. Conhece muito bem Lisboa e está sempre pronta a passear.

JORGE: Não se importa de me mostrar alguns lugares bonitos de Lisboa?

CRISTINA: Claro, quando quiser... Há muitos lugares bonitos, realmente.

JORGE: Amanhã, preciso ir ao correio. Quero enviar um telegrama ao meu pai, que faz anos. Quer vir comigo?

CRISTINA: Está bem. Amanhã é sábado, não trabalho.

JORGE: A que horas lhe convém mais?

CRISTINA: Talvez de manhã. Assim, à tarde, podemos visitar um museu, por exemplo.

JORGE: Excelente ideia. Encontramo-nos por volta das 10?

CRISTINA: Mas onde é que nos encontramos?

JORGE: Pode ser em frente da Agência?

CRISTINA: Está bem. Combinado.

UNIT 8

Let's go to the Post Office

ANA AND TERESA'S DINING ROOM

ANA: Do you know it's the first time that Jorge is in Portugal?

CRISTINA: Really? And are you enjoying it?

JORGE: I'm enjoying it very much.

CRISTINA: How long have you been in Portugal?... Oh, thank you... How long have you been in Portugal?

JORGE: One week.

CRISTINA: One week?! Such a short time! And when are you going back to London?

JORGE: Well, I'll be staying three weeks or a month more... I didn't get to know anything in Lisbon yet.

TERESA: Well, I think Cristina is an excellent guide. She knows Lisbon really well and she is always ready for an outing.

JORGE: Would you mind showing me some of Lisbon's nice spots?

CRISTINA: Certainly, whenever you wish... Actually, there are several nice spots.

JORGE: Tomorrow I need to go to the Post Office. I want to send a telegram to my father, it's his birthday. Would you like to go with me?

CRISTINA: All right. Tomorrow is Saturday: I don't work.

JORGE: What time is convenient for you?

CRISTINA: In the morning, perhaps. That way, in the afternoon, we can visit a museum, for instance.

JORGE: Excellent idea. Shall we meet around ten?

CRISTINA: But where do we meet?

JORGE: Can it be in front of the Agency?

CRISTINA: All right, it's settled.

JORGE, ANA
E TERESA: Parabéns a você
Nesta data querida.
Muitas felicidades,
Muitos anos de vida.

Hoje é dia de festa,
Cantam as nossas almas.
P'rá menina Cristina,
Uma salva de palmas.

EM FRENTE DA AGÊNCIA

JORGE: Como é que vamos aos Correios?

CRISTINA: Vamos de Metro.

CRISTINA: Os Correios ficam na Praça dos Restauradores e há lá uma paragem. Tem bilhete ou precisa de comprar?

JORGE: Vou ver se ainda tenho. Não, não, já não tenho nenhum.

NOS CORREIOS

CRISTINA: Jorge, o *guichet* dos telegramas é aquele ali. Tem sorte porque não há mais ninguém. Normalmente há bicha.

JORGE: Queria também levantar um vale postal.

CRISTINA: Bom, trate primeiro do telegrama que eu vou perguntar a alguém onde são os vales postais.

JORGE: Bom dia. Queria mandar um telegrama para Inglaterra.

FUNC.: Tem aqui este impresso. Preencha-o, por favor.

CRISTINA: Pode informar-me onde é que se levantam os vales postais?

FUNC.2: Como?

CRISTINA: Pode informar-me onde é que se levantam os vales postais?

FUNC.2: É ali, no *guichet* nº 8.

CRISTINA: Obrigada.

JORGE, ANA
and TERESA; Happy birthday to you
On this cherished date
Much hapinness (to you)
Many years of life

Today is a day of celebration
Our souls do sing
For young miss Cristina *
A round of applause.

* or "menino" (young master) so-and-so - this is used irrespective of age.

IN FRONT OF THE AGENCY

JORGE: How are we going to the Post Office?

CRISTINA: Let's go by underground.

CRISTINA: The Post Office is in Restauradores Square, and there is a stop there. Do you have a ticket or do you need to buy one?

JORGE: I'll see if I still have (one). No, I no longer have any.

AT THE POST OFFICE

CRISTINA: Jorge, the telegram counter is that one over there. You're lucky, because there's no one else. Usually, there is a queue.

JORGE: I'd like to cash (raise) a money order, too.

CRISTINA: Well, first take care of the telegram. I'll go and ask someone where is Money Orders.

JORGE: Good morning. I'd like to send a telegram to the U.K.

CLERK: Take this form. Fill it in please.

CRISTINA: Can you tell me where I can cash a money order? (Can you inform me where money orders are cashed?)

CLERK2: Beg your pardon?

CRISTINA: Can you tell me where I can cash a money order?

CLERK2: It's over there, at counter n.º 8.

CRISTINA: Thank you.

JORGE: Tome, por favor... Diga-me, posso também comprar aqui os selos? São para estes postais para França.

FUNC.: Pode, sim. Quantos postais são?

JORGE: Cinco.

FUNC.: Mais alguma coisa?

JORGE: Não, por hoje é tudo.

FUNC.: Bem, são ao todo dois contos e duzentos (11€).

JORGE: Quanto?

FUNC.: Dois contos e duzentos... dois mil e duzentos escudos (11€).

JORGE: Só tenho esta nota de dez mil escudos (50€). Tem troco?

FUNC.: De dez contos (50€)?!... Ah, tenho sim. Faz favor.

JORGE: Obrigado.

> UM CONTO = MIL ESCUDOS = 1.000$00 = 5€
>
> DEZ CONTOS = DEZ MIL ESCUDOS = 10.000$00 = 50€
>
> DOIS CONTOS E DUZENTOS = 2.200$00 = 11€

CRISTINA: Já sei onde pode levantar o seu vale postal. É no *guichet* nº 8.

JORGE: Então, vamos até lá.

CRISTINA: Não, não, é aqui mesmo.

JORGE: Olhe, queria levantar este vale postal, também.

FUNC.: Mostre-me o seu Bilhete de Identidade ou o seu Passaporte, por favor.

JORGE: Ah! Um momento. Parece que não o tenho aqui... Ah, encontrei! Se faz favor...

FUNC.: Um momento. Volto já.

JORGE: Estou muito contente. Recebi dinheiro de Londres.

JORGE: Here you are, please... Tell me, can I also buy the stamps here? They are for these postcards to France.

CLERK: Yes you can. How many postcards are there?

JORGE: Five.

CLERK: Anything else?

JORGE: No, that's all for today.

CLERK: Well, it all comes to two "contos" two hundred (11€).

JORGE: How much?

CLERK: Two "contos" two hundred... two thousand two hundred escudos (11€).

JORGE: I only have this 10.000$00 (50€) bill. Have you got change?

CLERK: For ten "contos" (50€)?... Oh, yes, I have. There you are.

JORGE: Thank you.

> ONE CONTO = ONE THOUSAND ESCUDOS = 1.000$00 = 5€
>
> TEN CONTOS = TEN THOUSAND ESCUDOS = 10.000$00 = 50€
>
> TWO CONTOS TWO HUNDRED = 2.200$00 = 11€

CRISTINA: I already know where you can cash your money order. It's at counter n.º 8.

JORGE: Let's go there, then.

CRISTINA: No, no, it's right here.

JORGE: Look, I would like to cash this money order, too.

CLERK: Please show me your I.D. card or your passport.

JORGE: Ah! Just a moment. Looks like I don't have it here... Ah! I've found it! There you are...

CLERK: Just a moment. I'll be back in a moment.

JORGE: I'm very happy. I received (some) money from London.

CRISTINA: Já é quase meio-dia. Vamos sentar-nos numa esplanada e decidir o que vamos fazer à tarde? Que acha?

JORGE: Acho muito bem.

FUNC.: Aqui tem. Assine, por favor.

JORGE: Muito obrigado. Vamos então?

> Estou a gostar muito.
>
> Há muitos lugares bonitos.
>
> Ainda não conheço nada.
>
> Não, já não tenho nenhum.

> Alguns lugares bonitos.
>
> Tem sorte porque não há mais ninguém.
>
> Vou perguntar a alguém.

CRISTINA: It's almost noon. Shall we go sit at an esplanade and decide what we'll do in the afternoon? What do you think?

JORGE: I think it's fine.

CLERK: Here you are. Please sign.

JORGE: Thank you. Shall we go, then?

I'm enjoying it very much

There are several nice spots

I don't get to know anything

No, I no longer have any.

Some of Lisbon's nice spots

You're lucky, because there's no one else.

I'll go and ask someone

UNIDADE 8
UNIT 8

VAMOS AO CORREIO
LET'S GO TO THE POST OFFICE

ESTUDO DA LÍNGUA
LANGUAGE STUDY

INDEFINIDOS VARIÁVEIS
VARIABLE INDEFINITES

Singular		Plural		
Masc.	**Fem.**	**Masc.**	**Fem.**	
algum*	alguma	alguns	algumas	some / any
nenhum**	nenhuma	nenhuns	nenhumas	no
muito	muita	muitos	muitas	much / many
pouco	pouca	poucos	poucas	little

* - Algum, alguma, alguns, algumas are used in affirmative sentences.
Ex: Jorge:Não se importa de me mostrar **alguns** lugares bonitos de Lisboa?

**- Nenhum, nenhuma, nenhuns, nenhumas are used in negative sentences.
Ex: Jorge: Vou ver se tenho. Não, já **não** tenho **nenhum**.
(note the double negative)

INDEFINIDOS INVARIÁVEIS
INVARIABLE INDEFINITES

Alguém (somebody, anybody) - Is used in affirmative sentences.
Ex: Vou perguntar a **alguém** onde se levantam vales postais.

Ninguém (nobody) - Is used in negative sentences.
Ex: CRISTINA: Tem sorte porque **não** há mais **ninguém**.
(note the double negative)

Tudo (everything)
Ex: JORGE : Não, por hoje é **tudo**.

Nada (nothing)
Ex: JORGE: Ainda **não** conheço **nada** de Lisboa.
(note the double negative)

Preposições (Prepositions)

Means of Transport = de

ir **de** metro = to go by underground

ir **de** táxi = to go by taxi

ir **de** avião = to go by airplane (to fly)

Note: Ir **a** pé (to walk)

Ex: CRISTINA : Vamos **de** Metro.

Direcção (Direction) - para

*ir (to go) { para (to go to) Ex: CRISTINA: E quando vai **para** Londres?

a (to go to) Ex: JORGE: Amanhã eu preciso de ir **aos** Correios.

^ a + os

de manhã (in the morning)

à tarde (in the afternoon)

à noite (at night)

Ex: CRISTINA: Talvez **de** manhã. Assim, **à** tarde, podemos visitar um museu, por exemplo.

Por volta de (around)

Ex: JORGE: Encontramo-nos **por volta das 10**?

^ de + as

Em frente de (in front of)

Ex: JORGE: Pode ser em frente **da** Agência?

^ de + a

* **ir para** - you will be staying for a long time
ir a - you will not be staying long

EXERCÍCIOS
EXERCISES

I

RESPONDA POR FAVOR
PLEASE WRITE THE ANSWERS:

1 - O Jorge está a gostar de Portugal?
2 - O Jorge está em Portugal há dois meses?
3 - Porque é que o Jorge tem de ir ao Correio?
4 - Quem vai com ele ao Correio?
5 - Para onde é que ele quer mandar o telegrama?
6 - Quanto é que ele gasta no Correio?

II

QUEM DIZ?
WHO SAYS?

1 - Mas onde é que nos encontramos?
2 - Tem aqui este impresso.
3 - Só tenho esta nota de dez mil escudos.

III

COMPLETE OS ESPAÇOS COM AS PALAVRAS ADEQUADAS
FILL IN THE GAPS WITH SUITABLE WORDS

1 - Tem sorte porque não há mais ________________. Normalmente há bicha.

2 - Pode ser _____ __________ _______ Agência?

3 - Vamos _______ Metro.

4 - Encontramo-nos _____ ________ das 10?

5 - Não, por hoje é ___________.

6 - Queria levantar este ___________ postal.

IV

VERDADEIRO OU FALSO?
TRUE OR FALSE?

	Verdadeiro (True)	Falso (False)
1 - É a segunda vez que o Jorge está em Portugal.	☐	☐
2 - O Jorge tem de ir aos Correios.	☐	☐
3 - Eles vão de tarde aos Correios.	☐	☐
4 - O Jorge só tem uma nota de 5.000$00 (25€).	☐	☐

V

NUMERE AS FRASES DE 1 A 5 DE ACORDO COM O TEXTO
NUMBER THE SENTENCES FROM 1 TO 5 ACCORDING TO THE TEXT

☐ - Mais alguma coisa?
☐ - Queria levantar este vale postal, também.
☐ - Há uma semana.
☐ - Estou a gostar muito.
☐ - Acho muito bem.

VI

COMPLETE OS ESPAÇOS COM OS VERBOS ADEQUADOS NO PRETÉRITO IMPERFEITO
FILL IN THE GAPS WITH THE SUITABLE VERBS IN THE IMPERFECT PAST TENSE

1 - Ela ____________ 20 anos e ________________ casada.
2 - Eu ________________ levantar um vale postal.
3 - O Jorge ______________ de ir aos Correios.
4 - Não __________________ ninguém na bicha.

VII

COMPLETE OS ESPAÇOS COM OS VERBOS INDICADOS ENTRE PARÊNTESES NO PRETÉRITO IMPERFEITO DO INDICATIVO

FILL IN THE GAPS WITH THE VERBS SHOWN IN BRACKETS IN THE IMPERFECT PAST TENSE

1 - Ela _______________(ir) todos os dias ao cinema.

2 - Eu ________________(estudar) todos os dias com os colegas.

3 - Vocês _______________(morar) em Lisboa.

4 - O Jorge __________________(dar) sempre gorjeta.

SOLUÇÕES DOS EXERCÍCIOS

I

1 - Sim, o Jorge está a gostar de Portugal.
2 - Não, ele está em Portugal há três semanas.
3 - Porque quer enviar um telegrama ao pai.
4 - A Cristina.
5 - Para Londres/ para a Inglaterra.
6 - Ele gasta 2.200$00 (11€).

II

1 - A Cristina.
2 - A funcionária dos Correios.
3 - O Jorge.

III

1 - Tem sorte porque não há mais NINGUÉM. Normalmente há bicha.
2 - Pode ser EM FRENTE DA Agência?
3 - Vamos DE Metro.
4 - Encontramo-nos POR VOLTA das 10?
5 - Não, por hoje é TUDO.
6 - Queria levantar este VALE postal.

IV

1 - Falso.
2 - Verdadeiro.
3 - Falso.
4 - Falso.

V

5 - Mais alguma coisa?
4 - Queria levantar este vale postal, também.
2 - Há uma semana.
1 - Estou a gostar muito.
3 - Acho muito bem.

VI

1 - Ela TINHA 20 anos e ERA casada.
2 - (Eu) QUERIA levantar um vale postal.
3 - O Jorge TINHA de ir aos Correios.
4 - Não HAVIA ninguém na bicha.

VII

1 - Ela IA todos os dias ao cinema.
2 - Eu ESTUDAVA todos os dias com os colegas.
3 - Vocês MORAVAM em Lisboa.
4 - O Jorge DAVA sempre gorjeta.

UNIDADE 9

Onde Fica?

JORGE: Sr. guarda, pode dar-me uma informação?

POLÍCIA: Com certeza. O que deseja?

JORGE: Pode dizer-me onde ficam os correios?

POLÍCIA: É um pouco longe daqui, mas é muito fácil.
Olhe, o senhor está aqui. Segue por esta rua até ao fim, depois volta à esquerda e vai encontrar os correios mesmo à sua frente.

JORGE: Obrigado.

REPLAY: Olhe, o senhor está aqui. Segue por esta rua até ao fim, depois volta à esquerda e vai encontrar os correios mesmo à sua frente.

2ª SITUAÇÃO

VELHOTA: Desculpe, onde é a farmácia mais próxima?

POLÍCIA: A senhora vai em frente, atravessa aquela primeira rua e, depois, na segunda, vira à direita.

VELHOTA: Atravesso a primeira rua?...

POLÍCIA: Sim, atravessa a primeira rua e depois, na segunda, vira à direita. A farmácia fica na esquina.

VELHOTA: Obrigadinha.

3ª SITUAÇÃO

SENHORA: Olhe, se faz favor...Há algum hotel aqui perto?

POLÍCIA: Sim, há vários. O mais próximo é ali à direita. Ali à direita, em frente daquele restaurante.

SENHORA: Obrigada.

4ª SITUAÇÃO

LUÍS: Desculpe, onde fica aqui um banco?

POLÍCIA: Bem, o mais próximo é ali naquela praça...

UNIT 9

Where is it?

JORGE: Officer! Can you give me an information?

POLICEMAN: Certainly. How can I help you?

JORGE: Can you tell me where is the Post Office?

POLICEMAN: It's a bit far from here, but it's very easy.
Look, you are here. Follow this street up to the end, then turn to the left and you'll find the Post Office right in front of you.

JORGE: Thank you.

REPLAY: Look, you are here. Follow this street up to the end, then turn to the left and you'll find the Post Office right in front of you.

2ND SITUATION

OLD LADY: Excuse me, where is the nearest pharmacy?

POLICEMAN: Keep going straight, cross that first street and then, at the second (street), turn right.

OLD LADY: Do I cross the first street?...

POLICEMAN: Yes, you cross the first street and then,at the second (street), turn right. The pharmacy is on the corner.

OLD LADY: Thank you kindly.

3RD SITUATION

LADY: Look here, please... Is there any hotel nearby?

POLICEMAN: Yes, there are several. The nearest one is over there on the right... Over there on the right, in front of that restaurant.

LADY: Thank you.

4TH SITUATION

LUÍS: Excuse me, where do I find a bank around here?

POLICEMAN: Well, the nearest one is over there, on that square...

LUÍS: Obrigado!

POLÍCIA: Eh! Atenção! Vá, atravesse agora que o sinal está verde.

5ª SITUAÇÃO

RAPAZ: Pode informar-me onde é a paragem do autocarro nº 38?

POLÍCIA: É aqui nesta avenida, do outro lado. Suba...não, desça a avenida.

RAPAZ: Hã?

POLÍCIA: Desça a avenida. Fica um pouco mais abaixo.

RAPAZ: Já agora, pode... pode dizer-me qual é o horário deste autocarro?

POLÍCIA: Não sei, mas este costuma passar de vinte em vinte minutos.
Ao menos, podia dizer obrigado!

APARTAMENTO DA TERESA E DA ANA

TERESA: O que vamos fazer este fim-de-semana?

ANA: Eu não conheço Sintra, sabes? Gostaria muito de ir lá. Vamos lá no sábado? O que é que achas?

TERESA: Podemos telefonar ao Jorge. Assim ele também conheceria Sintra.

ANA: Boa ideia! Ele vai ficar muito contente. A que distância fica Sintra de Lisboa?

ANA: Não é muito longe, pois não?

TERESA: Não, é perto. Cerca de 30 km.

ANA: E como é que vamos para lá?

TERESA: Podemos escolher, de comboio ou de camioneta.

ANA: Vamos de comboio, não achas? Assim, seria mais rápido.

TERESA: Por mim, está bem.

ANA: Depois, em Sintra, podemos alugar uma daquelas charretes à moda antiga para visitar os lugares mais bonitos...

TERESA: Desculpa, poderíamos... mas não há dinheiro para isso. Podemos alugar um táxi, talvez. Mas primeiro deveríamos combinar o preço da corrida com o motorista. Não concordas?

ANA: Claro que concordo. Bom, o que é que vamos visitar?

LUÍS: Thanks!

POLICEMAN: Hey! Watch out! Come on, go across now, the light is green.

5TH SITUATION

BOY: Can you tell me where is the stop for bus number 38?

POLICEMAN: It's here on this avenue, on the other side. Walk up... no, no,... walk down the avenue.

BOY: Huh?

POLICEMAN: Walk down the avenue. It's a little further down.

BOY: While we're on the subject: do you know the timetable for this bus?

POLICEMAN: I don't, but this one usually passes every 20 minutes.
He could at least say "thank you"!

TERESA AND ANA'S APARTMENT

TERESA: What are we going to do this weekend?

ANA: I don't know Sintra, you know? I would very much like to go there.
Shall we go there Saturday? What do you think?

TERESA: We can phone Jorge. That way he would also know Sintra.

ANA: Good idea. He'll be very happy. How far is Sintra from Lisbon?

ANA: It's not very far, is it?

TERESA: No, it's close by. About 30 km.

ANA: And how are we getting there?

TERESA: We can choose - by train or by bus.

ANA: Let's go by train, don't you think? It would be faster that way.

TERESA: All right by me.

ANA: Then, in Sintra, we can hire one of those old-fashioned carriages to visit the most beautiful spots...

TERESA: Sorry: we could... but there isn't money.for that We can hire a taxi, perhaps. But first we should arrange the price for the ride with the driver. Don't you agree?

ANA: Of course I agree. Well, what are we going to visit?

TERESA: Estava a pensar no Palácio da Pena, no Palácio Real e em Seteais. Tudo lugares bonitos, descansa.

ANA: Descansar, eu? Já estou ansiosa por ir lá. Vamos telefonar ao Jorge?

> Gostaria muito de ir lá.
>
> Assim ele também conheceria Sintra.
>
> De comboio seria mais rápido.
>
> Poderíamos... não há dinheiro para isso

TERESA: I was thinking of Palácio da Pena, Palácio Real, and Seteais. All of them beautiful spots, so relax.

ANA: Relax? Me? I'm dying to go there already. Shall we phone Jorge?

I would very much like to go there.
That way he would also know Sintra
I would be faster by train.
We could… there isn't money for that.

UNIDADE 9
UNIT 9

ONDE FICA?
WHERE IS IT?

ESTUDO DA LÍNGUA
LANGUAGE STUDY

The Conditional

The Conditional is formed by adding to the Infinitive the endings -ia, -ias, -ia, -íamos, -iam. The same endings are used for the three conjugations.

Infinitive:	**GOSTAR** (to like)
eu	gostar-ia
tu	gostar-ias
você/ele/ela o senhor/ a senhora	gostar-ia
nós	gostar-íamos
vocês/eles/elas os senhores/ as senhoras	gostar-iam

Ex: ANA: **Gostaria** muito de ir lá.
TERESA: Assim ele também **conheceria** Sintra.
TERESA: Desculpa, **poderíamos**, mas não há dinheiro para isso.
TERESA: **Deveríamos** primeiro combinar o preço da corrida com o motorista.

Ficar/Ser

NOTE: "Ser" and "Ficar" are only interchangeable when referring to location.

Ex: JORGE: Pode dizer-me onde **ficam** os correios?
VELHOTA: Desculpe, onde é a farmácia mais próxima?

"Ficar" has other meanings - to "stay", to "be", "to be situated", "to fit".

Other meanings: Ex: ANA : Boa ideia. Ele vai **ficar** muito contente.

EXERCÍCIOS
EXERCISES

I

RESPONDA POR FAVOR
PLEASE WRITE THE ANSWERS:

1 - Porque é que a Teresa e a Ana vão telefonar ao Jorge?
2 - A que distância fica Sintra de Lisboa?
3 - Como é que eles vão a Sintra?
4 - Como é que eles vão visitar Sintra?
5 - O que é que a Ana e a Teresa vão combinar com o motorista de táxi?
6 - Há muitos lugares bonitos em Sintra? Quais?

II

QUEM DIZ?
WHO SAYS?

1 - Olhe, se faz favor... Há algum hotel aqui perto?
2 - O que vamos fazer este fim-de-semana?
3 - Podemos escolher, de comboio ou de camioneta.
4 - Já estou ansiosa por ir lá.

III

COMPLETE OS ESPAÇOS COM AS PALAVRAS ADEQUADAS
FILL IN THE GAPS WITH SUITABLE WORDS

1 - Pode dizer-me onde ________________ os correios?

2 - Vá, atravesse agora que o ______________ está verde.

3 - Eu não conheço Sintra, sabes? _______________ muito de ir lá.

4 - Vamos de comboio, não achas? Assim, seria mais _____________.

5 - Podemos _______________ um táxi, talvez.

6 - Mas primeiro deveríamos ________________ o preço da corrida com o motorista.

IV

VERDADEIRO OU FALSO?
TRUE OR FALSE?

	Verdadeiro (True)	Falso (False)
1 - Não atravesse agora - o sinal está verde.	☐	☐
2 - A Ana já conhece Sintra.	☐	☐
3 - A Teresa, a Ana e o Jorge vão de comboio.	☐	☐
4 - Eles vão alugar um táxi para visitar Sintra.	☐	☐

V

NUMERE AS FRASES DE 1 A 5 DE ACORDO COM O TEXTO
NUMBER THE SENTENCES FROM 1 TO 5 ACCORDING TO THE TEXT

☐ - Claro que concordo.
☐ - E como é que vamos para lá?
☐ - Estava a pensar no Palácio da Pena, no Palácio Real e em Seteais.
☐ - A que distância fica Sintra de Lisboa?
☐ - Bom, o que é que vamos visitar?

VI

ASSINALE A INFORMAÇÃO CORRECTA
PLACE A TICK AGAINST THE CORRECT INFORMATION

1 - A que distância fica Sintra de Lisboa?
Cerca de 25 Km   Cerca de 30 Km   Cerca de 35 Km

2 - Eles vão falar com o motorista para combinar
Os lugares a visitar   Os quilómetros   O preço

VII

COMPLETE OS ESPAÇOS COM OS VERBOS ADEQUADOS NO CONDICIONAL
FILL IN THE GAPS WITH SUITABLE VERBS IN THE CONDITIONAL TENSE

1 - A Ana _____________ de ir a Sintra.

2 - Eles _______________ o preço com o motorista.

3 - De comboio _________ mais rápido.

VIII

COMPLETE OS ESPAÇOS COM OS VERBOS INDICADOS ENTRE PARÊNTESES NO CONDICIONAL
FILL IN THE GAPS WITH THE VERBS SHOWN IN BRACKETS IN THE CONDITIONAL TENSE

1 - O Jorge _______________(ir) com elas, porque ainda não conhece Sintra.

2 - Eles _______________(alugar) um táxi para visitar os lugares.

3 - Em Sintra, nós _____________(visitar) os lugares mais bonitos.

SOLUÇÕES DOS EXERCÍCIOS

I

1 - Para o convidarem para ir a Sintra com elas.
2 - Cerca de 30 km.
3 - Eles vão a Sintra de comboio.
4 - Eles vão visitar Sintra de táxi.
5 - Elas vão combinar o preço da corrida.
6 - Há. O Palácio da Pena, o Palácio Real e Seteais.

II

1 - Uma senhora.
2 - A Teresa.
3 - A Teresa.
4 - A Ana.

III

1 - Pode dizer-me onde FICAM os correios?
2 - Vá, atravesse agora que o SINAL está verde.
3 - Eu não conheço Sintra, sabes? GOSTARIA muito de ir lá.
4 - Vamos de comboio, não achas? Assim, seria mais RÁPIDO.
5 - Podemos ALUGAR um táxi, talvez.
6 - Mas primeiro deveríamos COMBINAR o preço da corrida com o motorista.

IV

1 - Falso.
2 - Falso.
3 - Verdadeiro.
4 - Verdadeiro.

V

3 - Claro que concordo.
2 - E como é que vamos para lá?
5 - Estava a pensar no Palácio da Pena, no Palácio Real e em Seteais.
1 - A que distância fica Sintra de Lisboa?
4 - Bom, o que é que vamos visitar?

VI

1 - Cerca de 30 Km.
2 - O preço.

VII

1 - A Ana GOSTARIA de ir a Sintra.
2 - Eles COMBINARIAM o preço com o motorista.
3 - De comboio SERIA mais rápido.

VIII

1 - O Jorge IRIA com elas, porque ainda não conhece Sintra.
2 - Eles ALUGARIAM um táxi para visitar os lugares.
3 - Em Sintra, nós VISITARÍAMOS os lugares mais bonitos.

UNIDADE 10

O Seguro

CRISTINA:	Jorge, se não se importa, antes de irmos ao museu, vamos primeiro à minha companhia de seguros. Esqueci-me de tratar do seguro do meu carro.
JORGE:	Mas não tem seguro?
CRISTINA:	Sim, tenho, mas só contra terceiros.
JORGE:	Está bem, onde fica essa companhia?
CRISTINA:	Fica perto do Marquês de Pombal.
JORGE:	Então vamos de autocarro?
CRISTINA:	Talvez não precisemos. Podemos ir a pé. Penso que em 15 minutos chegamos lá.
CRISTINA:	Por favor, o ramo automóvel é aqui no 2º andar?
RECEPCIONISTA:	É sim. Sala 5, por favor.
CRISTINA:	Boa tarde. Queria modificar o meu seguro, que é contra terceiros, para um seguro contra todos os riscos.
AGENTE:	Qual é o seu número de apólice?
CRISTINA:	Espere... É o 2.578.645.
AGENTE:	É a viatura matrícula HX-45-50, ano de 1991?
CRISTINA:	É sim. O que é que cobre de facto este tipo de seguro?
AGENTE:	Para além de capotagem, incêndio, furto ou roubo, também cobre responsabilidade civil contra terceiros, choque e colisão. Qual é o valor do carro?
CRISTINA:	São 1.200.000$00 (5 990€). Quanto é que me vai custar por ano?
AGENTE:	Deixe-me ver... vai pagar 98.000$00 (488€)ao ano.
CRISTINA:	Está bem. Pode preparar os impressos.
CRISTINA:	Tenho imenso medo de conduzir o meu carro novo sem que tenha um seguro contra todos os riscos. Embora conduza devagar nunca se sabe quando um acidente pode acontecer.
CRISTINA:	Onde quer que eu assine?

UNIT 10

The Insurance

CRISTINA: Jorge, if you don't mind, before we go to the museum, we'll go first to my insurance company. I forgot to take care of my car insurance.

JORGE: But have you no insurance?

CRISTINA: Yes, I have, but it's only a third party insurance.

JORGE: All right, where is that company?

CRISTINA: It's near Marquês de Pombal.

JORGE: Shall we take a bus?

CRISTINA: It may not be necessary. We can walk. I think we can get there in 15 minutes.

CRISTINA: Excuse me, is car insurance here on the 2nd floor?

RECEPTIONIST: Yes, it is. Room 5, please.

CRISTINA: Good afternoon. I would like to change my insurance, which is against third parties, to a comprehensive policy.

CLERK: What is your insurance policy number?

CRISTINA: Wait... it's 2,578,645.

CLERK: Is it the vehicle with number plate HX-45-50, from 1991?

CRISTINA: Yes, it is. What, in fact, does this type of insurance cover?

CLERK: Besides overturning, fire, stealing or theft, it also covers civil responsibility against third parties, crashing and collision. What is the value of your car?

CRISTINA: 1,200,000$00 escudos (5 990€). How much will it cost me per year?

CLERK: Let me see... you'll be paying 98,000 escudos (488€) per year.

CRISTINA: Very well. You may prepare the forms.

CRISTINA: I'm terribly afraid of driving my new car without having a comprehensive insurance. Although I do drive slowly one never knows when an accident may happen.

CRISTINA: Where do you want me to sign?

JORGE: Já agora, queria fazer um seguro de viagem.

AGENTE: Que tipo de seguro e por quanto tempo? Podemos oferecer-lhe vários tipos.

JORGE: Este seguro aqui, por exemplo, cobre despesas de acidente durante a minha estadia?

AGENTE: Sim, este cobre.

JORGE: Ah! Então pode ser este mesmo. Quero que seja a partir de hoje e até ao dia 25 de Agosto, que é o dia da minha partida para a Inglaterra.

AGENTE: Por quanto é que quer que fique o seguro?

JORGE: Perdão?

AGENTE: Por quanto é que quer que fique o seguro?

JORGE: Ah! Por 20.000 contos (99 759€).

AGENTE: E quem prefere que seja o beneficiário?

JORGE: O meu pai, António Fonseca. Quanto vai custar este seguro?

AGENTE: São 7.500$00 (37€).

JORGE: Está bem.

AGENTE: Então, por favor, preencha este formulário.

JORGE: Onde assino, por favor?

AGENTE: Aqui. Muito obrigado.

JORGE: Onde vamos agora?

CRISTINA: Agora é contigo... ah...consigo.

JORGE: Contigo está bem. Então vamos buscar o teu carro e dar um passeio.

CRISTINA: Está bem, mas primeiro é necessário que eu encha o depósito.

JORGE: Olha, eu encho o depósito, tu guias e pagas o nosso jantar. Está bem?

CRISTINA: Combinado, embora eu ache que eu fico a ganhar.

> Talvez não seja necessário.
>
> Quero que seja a partir de hoje.
>
> Onde quer que eu assine?
>
> Primeiro é necessário que eu encha o depósito.
>
> Embora eu ache que eu fico a ganhar.

JORGE: While we're about it, I would like to take out a travel insurance.

CLERK: What type of insurance and for how long? We can offer you several types.

JORGE: This insurance, here, for instance: does it cover expenses with accidents during my stay?

CLERK: Yes, this one does.

JORGE: Ah! This one will do, then. I want it to run (be) from today up to the 25th of August, which is the day of my departure to England.

CLERK: How much do you want to be insured for?

JORGE: Beg your pardon?

CLERK: How much do you want to be insured for?

JORGE: For 20 million escudos (99 759€).

CLERK: And who do you wish to have as beneficiary?

JORGE: My father, António Fonseca. How much will this insurance cost me?

CLERK: It's 7.500$00 (37€).

JORGE: Very well.

CLERK: Please fill in this form, then.

JORGE: Where do I sign, please?

CLERK: Here. Thank you very much.

JORGE: Where are we going now?

CRISTINA: Now, it's up to you. (she uses the informal you, then the formal one)

JORGE: You (informal) is fine.Then, let's get your car and go for a ride.

CRISTINA: Ok, but first it's necessary that I should fill up the tank.

JORGE: Look, I'll fill up your tank, you do the driving and pay for dinner. All right?

CRISTINA: Done! Though I should think I stand to gain.

> Perhaps, it may not be necessary.
>
> I want it to run from today.
>
> Where do you want me to sign?
>
> First it's necessary that I should fill up the tank
>
> Though I should think I stand to gain

UNIDADE 10
UNIT 10

O SEGURO
THE INSURANCE

ESTUDO DA LÍNGUA
LANGUAGE STUDY

Present Subjunctive (Regular Verbs)

We form the Present Subjunctive from the Present (first person), by crossing out the letter "o" and adding "e" (1st conjugation verbs), or "a" (2nd and 3rd conjugation verbs).

	1st Conjugation	**2nd Conjugation**	**3rd Conjugation**
Infinitive:	FALAR	COMER	ABRIR
eu	fal-e	com-a	abr-a
tu	fal-es	com-as	abr-as
você/ele/ela o senhor/ a senhora	fal-e	com-a	abr-a
nós	fal-emos	com-amos	abr-amos
vocês/eles/elas os senhores/ as senhoras	fal-em	com-am	abr-am

a) The Subjunctive is used in Subordinate Clauses when the verb in the main clause expresses a desire, an emotion, doubt, a request, or an order.

Some of the verbs requiring the Subjunctive are:

desejar (to desire, to wish)

querer (to want)

preferir (to prefer)

sentir (to feel, to regret)

pedir (to ask)

Ex: JORGE: **Quero que seja** a partir de hoje e até ao dia 25 de Agosto.
AGENTE: E quem **prefere que seja** o beneficiário?
CRISTINA: Onde **quer que eu assine**?

NOTE: The Subordinate Clause is introduced by "que" (that).

b) The Subjunctive is used in subordinate clauses introduced by impersonal expressions, such as:

é possível (it is possible)

é fácil (it is easy)

é importante (it is important)

é necessário (it is necessary)

Ex: CRISTINA: Está bem, mas primeiro **é necessário que** eu **encha** o depósito.

c) The Subjunctive is used introduced by:

talvez (perhaps)

embora (although)

para que (in order to)

até que (until)

sem que (without)

etc.

Ex: CRISTINA: Talvez não **precisemos**.
CRISTINA: Tenho imenso medo de conduzir o meu carro novo **sem que tenha** seguro contra todos os riscos.
CRISTINA: Embora **conduza** devagar nunca se sabe quando é que um acidente pode acontecer.
CRISTINA: Combinado, embora eu **ache** que eu fico a ganhar.

EXERCÍCIOS
EXERCISES

I

RESPONDA POR FAVOR
PLEASE WRITE THE ANSWERS:

1 - Porque é que a Cristina tem de ir à Companhia de Seguros?
2 - Que tipo de seguro é que o Jorge fez?
3 - Quem é o beneficiário do seguro do Jorge?
4 - Porque razão a Cristina tem medo de guiar o carro novo?
5 - Quais são as características do carro da Cristina?
6 - Quem é que vai pagar o jantar?

II

QUEM DIZ?
WHO SAYS?

1 - Sim, este cobre.
2 - Mas não tens seguro?
3 - Por favor, o ramo automóvel é aqui no 2º andar?

III

COMPLETE OS ESPAÇOS COM AS PALAVRAS ADEQUADAS
FILL IN THE GAPS WITH SUITABLE WORDS

1 - O que é que ________________ o teu seguro de viagem?
2 - O meu seguro cobre as despesas de ________________ durante a minha estadia aqui em Portugal.
3 - Faça o favor de ________________ este formulário.
4 - O seu seguro é ________________ todos os riscos?
5 - Qual é o ________________ do seu carro?
6 - 1.200 contos (5 990€). Quanto é que me vai ________________ por ano?

IV

VERDADEIRO OU FALSO?
TRUE OR FALSE?

	Verdadeiro (True)	Falso (False)
1 - O seguro do Jorge não cobre as despesas de acidente durante a sua estadia em Portugal.	☐	☐
2 - A Cristina ainda não fez nenhum seguro para o seu carro novo.	☐	☐
3 - A Cristina vai encher o depósito do carro e o Jorge vai pagar o jantar	☐	☐
4 - A Cristina e o Jorge vão dar um passeio no carro da Cristina.	☐	☐

V

NUMERE AS FRASES DE 1 A 4 DE ACORDO COM O TEXTO
NUMBER THE SENTENCES FROM 1 TO 4 ACCORDING TO THE TEXT

☐ - Onde vamos agora?
☐ - Então vamos buscar o teu carro e dar um passeio.
☐ - Mas não tens seguro?
☐ - É sim. Sala 5, por favor.
☐ - Onde assino, por favor?

VI

ASSINALE A INFORMAÇÃO CORRECTA
PLACE A TICK AGAINST THE CORRECT INFORMATION

1 - Para chegar à Companhia de Seguros, o Jorge e a Cristina demoraram:
17 minutos 25 minutos 15 minutos

2 - A Cristina dirigiu-se ao 2° andar, sala nº
4 3 5

3 - O seguro da Cristina custa por ano:
89.000$00 (444€) 98.000$00 (489€) 88.000$00 (439€)

VII

COMPLETE OS ESPAÇOS COM OS TEMPOS ADEQUADOS DOS VERBOS INDICADOS ENTRE PARÊNTESES

FILL IN THE GAPS WITH THE CORRECT TENSES OF THE VERBS SHOWN IN BRACKETS

1 - É possível que o Jorge e a Cristina ________________(chegar) à Companhia de Seguros em 15 minutos.

2 - O Jorge quer que o seguro __________________(cobrir) as despesas de acidente durante a estadia dele em Portugal.

3 - Embora a Cristina já ________________(ter) seguro contra terceiros, ela quer também um seguro contra todos os riscos.

4 - A Cristina tem medo de guiar o carro novo até que ______________(fazer) um seguro contra todos os riscos.

SOLUÇÕES DOS EXERCÍCIOS

I

1 - Porque quer modificar o seu seguro contra terceiros para um seguro contra todos os riscos.
2 - Um seguro de viagem.
3 - O pai dele, António Fonseca.
4 - Porque não tem um seguro contra todos os riscos.
5 - É um carro de 1991, matrícula HX-45-50.
6 - A Cristina.

II

1 - O agente de seguros.
2 - O Jorge.
3 - A Cristina.

III

1 - O que é que COBRE o teu seguro de viagem?
2 - O meu seguro cobre as despesas de ACIDENTE durante a minha estadia aqui em Portugal.
3 - Faça o favor de PREENCHER este formulário.
4 - O seu seguro é CONTRA todos os riscos?
5 - Qual é o VALOR do seu carro?
6 - 1.200 contos (5 990€). Quanto é que me vai CUSTAR por ano?

IV

1 - Falso.
2 - Falso.
3 - Falso.
4 - Verdadeiro.

V

4 - Onde vamos agora?
5 - Então vamos buscar o teu carro e dar um passeio.
1 - Mas não tem seguro?
2 - É sim. Sala 5, por favor.
3 - Onde assino, por favor?

VI

1 - 15 minutos
2 - 5
3 - 98.000$00 (489€)

VII

1 - É possível que o Jorge e a Cristina CHEGUEM à Companhia de Seguros em 15 minutos.

2 - O Jorge quer que o seguro CUBRA as despesas de acidente durante a estadia dele em Portugal.

3 - Embora a Cristina já TENHA seguro contra terceiros, ela quer também um seguro contra todos os riscos.

4 - A Cristina tem medo de guiar o carro novo até que FAÇA um seguro contra todos os riscos.

UNIDADE 11

O Telefone

1ª SITUAÇÃO

JORGE: Preciso de fazer uma chamada para Inglaterra. Como é que eu faço agora?

CRISTINA: Levanta o auscultador, marca o 00, que é o indicativo internacional, em seguida o indicativo do país e depois o da cidade.

JORGE: Mas eu não sei quais são esses indicativos...

CRISTINA: Então vamos consultar esta lista. Deixa ver... cá está. O indicativo da Inglaterra é o 44 e o indicativo da cidade de Londres é o 71.

JORGE: E depois?

CRISTINA: Depois é marcar o número da pessoa. Vá, marca o número!

JORGE: Bom, vou fazer como dizes:... primeiro levanto o auscultador, marco o indicativo internacional, depois o indicativo do país e depois o indicativo da cidade e agora o número do meu pai.

JORGE: Mas não está a funcionar...

CRISTINA: Deixa-me ver. Tens razão, não funciona. Este telefone está avariado. Espera... Há ali outra cabina. Vamos experimentar aquela.

2ª SITUAÇÃO

SR. SANTOS: Teresa, é possível que o Sr. Pinto telefone esta manhã. Logo que ele ligar, passe-me a chamada, por favor.

TERESA: Muito bem, Sr. Santos.

TERESA: Está? Agência Portuviagens. Bom dia.

PINTO : Está?

TERESA: Agência Portuviagens. Com quem deseja falar?

PINTO: Bom dia. Fala João Pinto.

TERESA: Ah, bom dia, Sr. Pinto.

UNIT 11

The Telephone

1ST SITUATION

JORGE: I need to make a telephone call to the U.K. What do I do now?

CRISTINA: Pick up the receiver, dial 00, which is the international code, next the country code and then the city's.

JORGE: But I don't know which are those codes...

CRISTINA: Then let's check in this list. Let me see...here it is. The prefix for the U.K. is 44 and the prefix for the City of London is 71.

JORGE: And then?

CRISTINA: Then you dial the person's number. Come on, dial the number!

JORGE: Very well, I'm going to do as you say: ...first, I pick up the receiver, I dial the international prefix then I dial the country prefix and then the City's prefix and now my father's number.

JORGE: But it isn't working...

CRISTINA: Let me see. You're right, it doesn't work. This telephone is out of order. Wait...There is another booth over there. Let's try that one.

2ND SITUATION

MR. SANTOS: Good morning, Teresa, Mr. Pinto may be phoning me this morning. As soon as he rings put the call through, please.

TERESA: Very well, Mr. Santos.

TERESA: Hello? Portuviagens Agency. Good morning.

MR.PINTO: Hello?

TERESA: Portuviagens Agency. With whom do you wish to speak?

MR.PINTO: Good morning. João Pinto speaking.

TERESA: Oh, good morning, Mr. Pinto.

PINTO: Posso falar com o Sr. Santos? Ele está?

TERESA: Está sim. Vou já passar a ligação...

TERESA : Desculpe, mas o Sr. Santos está a falar noutra linha. Não se importa de esperar mais um bocadinho?

PINTO: É capaz de demorar. Prefiro voltar a ligar daqui a pouco. Está bem?

TERESA: Com certeza. Até já, Sr. Pinto.

3ª SITUAÇÃO

JORGE: É do 84693?

TERESA: Olá Jorge. Conheci-te pela voz. Aqui é a Teresa.

JORGE: Olá Teresa. Ouve, posso falar com a Ana?

TERESA: A Ana não está. Está de férias no Algarve. Queres deixar recado?

JORGE: Não, não é preciso. Quando é que ela volta?

TERESA: Talvez na próxima quarta-feira.

JORGE: Ah, então eu volto a telefonar para a semana. Adeus e obrigado.

TERESA: Adeus e até para a semana.

4ª SITUAÇÃO

JORGE: Está? De onde fala?

CRISTINA: Agência Portuviagens. Bom dia.

JORGE: Bom dia. A Cristina está?

CRISTINA: Não me conheces? Sou eu, a Cristina. Estás bom?

JORGE: Estou bem. E tu?

CRISTINA: Estou óptima, obrigada.

JORGE: Telefonei para saber quando nos podemos encontrar.

CRISTINA: Dá-te jeito amanhã?

PINTO: May I speak with Mr. Santos? Is he in?

TERESA: Yes, he is. I'll put the call through at once...

TERESA: Sorry, but Mr. Santos is talking on another line. Would you mind holding on a little bit longer?

PINTO: He may take a long time. I'd rather call again in a little while. All right?

TERESA: Of course. Bye for now ('till just now), Mr. Pinto.

3RD SITUATION

JORGE: Is that 84693?

TERESA: Hello, Jorge. I recognised you by your voice. Teresa here.

JORGE: Hello, Teresa. Listen, may I speak with Ana?

TERESA: Ana isn't in. She's on holiday in Algarve. Do you want to leave a message?

JORGE: No, no need. When will she be back?

TERESA: Perhaps next Wednesday.

JORGE: Then I'll call again next week. Bye and thanks.

TERESA: Bye - till next week.

4TH SITUATION

JORGE: Hello, where am I calling to (where are you calling from)?

CRISTINA: Portuviagens Agency. Good morning.

JORGE: Good morning. Is Cristina in?

CRISTINA: Don't you recognise me? It's me, Cristina. Are you well?

JORGE: I'm fine, thanks. And you?

CRISTINA: I feel great, thanks.

JORGE: I called to find out when we can meet.

CRISTINA: Will tomorrow suit you?

JORGE: Prefiro que seja depois de amanhã na quinta-feira. Pode ser?

CRISTINA: Pode. Encontramo-nos à porta da Agência às 5 horas, está bem?

JORGE: Está bem, sim. Então até quinta.

> Levanta o auscultador.
>
> Vá, marca o número!
>
> Passe-me a chamada, por favor
>
> É possível que o Sr. Pinto telefone.
>
> Prefiro que seja depois de amanhã.

JORGE: I prefer it to be the day after tomorrow, on Thursday. Is that possible?

CRISTINA: Yes. We'll meet by the door to the Agency, at 5, OK?

JORGE: OK, yes. See you Thursday, then.

<u>Pick up</u> the receiver.

Come on, <u>dial</u> the number!

<u>Put the</u> call <u>through</u>, please.

Mr. Pinto <u>may be</u> <u>phoning</u>.

<u>I prefer</u> <u>it</u> <u>to be</u> the day after tomorrow.

UNIDADE 11
UNIT 11

O TELEFONE
THE TELEPHONE

ESTUDO DA LÍNGUA
LANGUAGE STUDY

Revisions

Imperative (See Unit 7 - Language Study)

CRISTINA: **Levanta** o auscultador, **marca** o 00, que é o indicativo internacional.

CRISTINA: **Deixa-me** ver.

EMPRGD: Então **experimente** a cabina nº 5, por favor.

SR. SANTOS: Logo que ele ligar, **passe-me** a chamada, por favor.

Present Subjunctive (See Unit 9 - Language Study)

SR. SANTOS: **É possível que** o Sr. Fonseca **telefone** hoje de manhã.

JORGE: **Prefiro que seja** depois de amanhã, na quinta-feira.

EXERCÍCIOS
EXERCISES

I

RESPONDA POR FAVOR
PLEASE WRITE THE ANSWERS:

1. Porque é que a Cristina consultou uma lista?
2. Qual é o indicativo da Inglaterra e o indicativo da cidade de Londres?
3. Porque é que o Jorge e a Cristina tiveram de mudar de cabina?
4. Quem é que telefonou para o Sr. Santos?

II

QUEM DIZ?
WHO SAYS?

1 - Deixa-me ver. Tens razão, não funciona. Este telefone está avariado.
2 - É capaz de demorar. Prefiro voltar a ligar daqui a pouco.
3 - Adeus e até para a semana.

III

COMPLETE OS ESPAÇOS COM AS PALAVRAS ADEQUADAS
FILL IN THE GAPS WITH SUITABLE WORDS

1 - Bom dia. Queria fazer uma ________________ para Inglaterra.

2 - Marca o _________, que é o indicativo internacional.

3 - ___________ falar com o Sr. Santos? ___________ está?

4 - Está sim. Vou já ______________ a ligação.

5 - ______________? De onde fala?

6 - Agência Portuviagens. _____________ quem deseja falar?

IV

VERDADEIRO OU FALSO?
TRUE OR FALSE?

	Verdadeiro (True)	Falso (False)
1 - O Jorge sabe os indicativos da Inglaterra e de Londres.	☐	☐
2 - O Jorge telefonou para a Inglaterra na cabina nº 4.	☐	☐
3 - A Teresa não passou a ligação do Sr. Pinto para o Sr. Santos.	☐	☐
4 - O Jorge e a Cristina vão encontrar-se na quinta-feira às 5 horas.	☐	☐

V

NUMERE AS FRASES DE 1 A 5 DE ACORDO COM O TEXTO
NUMBER THE SENTENCES FROM 1 TO 5 ACCORDING TO THE TEXT

☐ - Dá-te jeito amanhã?
☐ - Com certeza, Sr. Fonseca. Até já, Sr. Pinto.
☐ - Mas eu não sei quais são esses indicativos...
☐ - Muito bem, Sr. Santos.
☐ - Não me conheces? Sou eu, a Cristina. Estás bom?

VI

ASSINALE A INFORMAÇÃO CORRECTA
TICK THE CORRECT INFORMATION

1 - O indicativo da Inglaterra é:
42 44 40

2 - A Cristina e o Jorge vão encontrar-se às:
2 horas 3 horas 5 horas

VII

COMPLETE OS ESPAÇOS COM OS VERBOS INDICADOS ENTRE PARÊNTESES NO IMPERATIVO E NO PRESENTE DO CONJUNTIVO

FILL IN THE GAPS WITH THE VERBS SHOWN IN BRACKETS IN THE IMPERATIVE AND IN THE PRESENT SUBJUNCTIVE

1 - Por favor, Teresa _______________(fazer) esta chamada para a Inglaterra.

2 - É possível que a esta hora _______________(ser) difícil telefonar para a Inglaterra.

3 - Por favor, _________________(ligar) para o Sr. Fonseca.

4 - Ele agora não está. Talvez só _______________(vir) da parte da tarde.

5 - Bom, então é posível que eu _________________(falar) com ele à tarde.

SOLUÇÕES DOS EXERCÍCIOS

I

1 - Porque não sabia os indicativos da Inglaterra e de Londres.
2 - O indicativo da Inglaterra é o 44 e o indicativo da cidade de Londres é o 71.
3 - Porque o telefone da cabina estava avariado.
4 - O Sr. João Pinto.

II

1 - A Cristina.
2 - O Sr. João Pinto.
3 - A Teresa.

III

1 - Bom dia. Queria fazer uma CHAMADA (LIGAÇÃO) para Inglaterra.
2 - Marca o 00, que é o indicativo internacional.
3 - POSSO falar com o Sr.Santos? ELE está?
4 - Está sim. Vou já PASSAR a ligação.
5 - ESTÁ? De onde fala?
6 - Agência Portuviagens. COM quem deseja falar?

IV

1 - Falso
2 - Falso
3 - Verdadeiro
4 - Verdadeiro

V

5 - Dá-te jeito amanhã?
3 - Com certeza. Até já, Sr.Pinto.
1 - Mas eu não sei quais são esses indicativos...
2 - Muito bem, Sr.Santos.
4 - Não me conheces. Sou eu, a Cristina. Estás bom?

VI

1 - 44
2 - 5 horas

VII

1 - Por favor, Teresa FAÇA esta chamada para a Inglaterra.
2 - É possível que a esta hora SEJA difícil telefonar para Inglaterra.
3 - Por favor, LIGUE para o Sr. Fonseca.
4 - Ele agora não está. Talvez só VENHA da parte da tarde.
5 - Bom, então é possível que eu FALE com ele à tarde.

UNIDADE 12

No Banco

1ª SITUAÇÃO

JORGE: Bom dia. Queria abrir uma conta à ordem, por favor.

BANCÁRIO: Sim senhor. Tem algum documento consigo?
Enquanto o Sr. preenche a ficha, eu verifico os seus documentos, está bem? Não tem número de contribuinte?

JORGE: Sou estrangeiro, embora fale bem português. É que os meus pais são portugueses.

BANC.: O Sr. tem morada em Lisboa?

JORGE: Sim, tenho, é a casa dos meus avós. A morada é: Rua de Entrecampos nº 21, 3º esquerdo.

BANC.: Muito bem. Quer abrir só esta conta à ordem? Não quer abrir também uma conta a prazo? Nós oferecemos um juro muito vantajoso...

JORGE: Mesmo que quisesse abrir uma conta a prazo, não podia. No momento só posso abrir esta conta à ordem.

BANC.: Quanto vai depositar para abrir a sua conta?

JORGE: Vou abrir com 20.000$00 (100€) em dinheiro mais este cheque.

BANC.: Não prefere levantar primeiro o cheque?

JORGE: Sim, talvez seja melhor. Não quero depositar o dinheiro na totalidade.

BANC.: Para onde quer que enviemos o seu extracto mensal? Para a sua morada em Lisboa?

JORGE: Sim, agradecia, se fosse possível. A como é que está o câmbio da libra?

BANC.: Está a 261,35.

JORGE: Não há dúvida que está sempre a subir.

BANC.: Assine aqui, se não se importa.

JORGE: Onde? Ah! Já sei. Obrigado.

BANC.: Agora queira dirigir-se à caixa número 3 e aguardar que o chamem.

JORGE: Obrigado.

UNIT 12

At the Bank

1ST SITUATION

JORGE: Good morning. I would like to open a current account please.

CLERK: Yes, sir. Have you got any identification with you?
While you fill in this form, sir, I'll check your documents,all right? Don't you have a tax number?

JORGE: I'm a foreigner, although I speak Portuguese fluently... You see, my parents are Portuguese.

CLERK: Have you an address in Lisbon, sir?

JORGE: Yes, I have, it´s my grandparents'. The address is:
Rua de Entrecampos no.21, 3rd floor-Left

CLERK: Very well. Do you wish to open only this current account? Don't you want to open a fixed deposit account too? We are offering a very favourable interest rate.

JORGE: Even if I wanted to open a fixed deposit account, I couldn't. At the moment I can only open this current account.

CLERK: How much are you going to deposit to open your account?

JORGE: I'm going to open it with 20,000 escudos (100€) cash plus this cheque.

CLERK: Wouldn't you rather cash the cheque first?

JORGE: Yes, it might be better. I don't want to deposit the entire amount.

CLERK: Where do you want us to send your monthly statement? To your Lisbon address?

JORGE: Yes, I would appreciate it, if it was possible. What's the current rate of the pound?

CLERK: It's at 261,35 (escudos to the pound).

JORGE: No doubt about it, it keeps rising!

CLERK: Will you sign here, if you don't mind?

JORGE: Where? Oh! I got it. Thank you.

CLERK: Now, please go to cashier 3 and wait until you're called.

JORGE: Thank you.

2ª SITUAÇÃO

BANC.: Como deseja o dinheiro? Trocado, em notas de 10 mil, 5 mil?...

JORGE: Como queira. Espere, já agora troque-me esta nota em notas de mil? Pode ser?

BANC.: Com certeza. Aqui tem.

JORGE: Muito obrigado. Só mais uma pergunta: o banco fecha à hora do almoço?

BANC.: Não, estamos abertos das 8:30 às 15.

JORGE: Óptimo. Se o banco fechasse à hora do almoço, eu não podia vir cá amanhã levantar o meu livro de cheques.
Agora queria fazer um depósito.

BANC.: O depósito é em cheque ou em dinheiro?

JORGE: Em dinheiro. Podia dizer-me onde estão os impressos para eu preencher?

BANC.: Não há aí? Bom, tem-nos ali, naquele balcão.

JORGE: E onde é que o entrego depois?

BANC.: Pode ser aqui.

3ª SITUAÇÃO

JORGE: Diga-me, onde posso informar-me acerca do saldo da minha conta?

BANC.: Aqui mesmo. Queira preencher este impresso, por favor. O número da sua conta...

JORGE: Demora muito?

BANC.: Não, não. É só um momento. Pronto. Aqui está o seu saldo.

JORGE: Podia verificar se chegou alguma transferência de Londres para esta conta?

BANC.: É só um momento. Não, ainda não. Sabe quando é que fizeram essa transferência?

JORGE: Penso que no princípio desta semana. É normal demorar tanto tempo?

BANC.: Por vezes acontece. Talvez demorasse mais de uma semana por causa da greve dos bancos em Londres.

2ND SITUATION

CLERK: How would you like the money? In change, in bills of 10 thousand, 5 thousand?

JORGE: As you like. Wait, while you're about it, please change this bill into bills of one thousand. Is that possible?

CLERK: Certainly. Here you are.

JORGE: Thank you very much. Just one more question: does the bank close at lunch time?

CLERK: No, we are open from 8:30 a.m. till 3 p.m.

JORGE: Excellent. If the bank were to close at lunch time, I'd be unable to come here tomorrow to pick up my cheque book.
Now I would like to make a deposit, please.

CLERK: Is the deposit cheque or cash?

JORGE: Cash. Please, where are deposit forms for me to fill in?

CLERK: Aren't there any? Well, you have them over there, on that counter.

JORGE: And where do I hand it in?

CLERK: It can be here.

3RD SITUATION

JORGE: Tell me, where can I get information about my balance?

CLERK: Right here. Kindly fill in this form. Your account number…

JORGE: Will it take long?

CLERK: No, no. It will only be a moment. Right. Here is your balance.

JORGE: Could you tell me whether a transfer has come from London into this account?

CLERK: Just a moment. No, not yet. Do you know when the transfer was made?

JORGE: At the beginning of this week, I think. Is it usual for it to take so long?

CLERK: It happens sometimes. It may have taken more than a week because of the bank strike in London.

JORGE: Quando é eu que posso cá voltar?

BANC.: Talvez no princípio da próxima semana.

JORGE: Está bem. Então até para a semana.

Mesmo que quisesse abrir uma conta a prazo não podia. Agradecia, se fosse possível. Se o banco fechasse... não podia vir cá. Talvez demorasse mais de uma semana.

JORGE: When can I come back here?

CLERK: Maybe at the beginning of next week.

JORGE: All right. See you next week, then.

Even if I wanted to open a fixed deposit account,
I couldn't.

Yes, I would appreciate it, if it was possible.

If the bank were to close… I'd be unable to come here.

It may have taken more than a week.

UNIDADE 12
UNIT 12

NO BANCO
AT THE BANK

ESTUDO DA LÍNGUA
LANGUAGE STUDY

Imperfeito do Conjuntivo
Imperfect Subjunctive

We form the Imperfect Subjunctive from the Past Tense (third person plural), by crossing out the three last letters **(-ram)** and adding: **sse/sses/sse/ssemos/ssem.**

Ex: disse-ram + sse = dissesse

	1st Conjugation	**2nd Conjugation**	**3rd Conjugation**	**4th Conjugation**	**5th Conjugation**
Infinitive:	DIZER (to say)	TRAZER (to bring)	PÔR (to put)	DAR (to give)	FALAR (to speak)
eu	disse-sse	trouxe-sse	puse-sse	de-sse	fala-sse
tu	disse-sses	trouxe-sses	puse-sses	de-sses	fala-sses
você/ele/ela o senhor/ a senhora	disse-sse	trouxe-sse	puse-sse	de-sse	fala-sse
nós	dissé-ssemos	trouxé-ssemos	pusé-ssemos	dé-ssemos	falá-ssemos
vocês/eles/elas os senhores/ as senhoras	disse-ssem	trouxe-ssem	puse-ssem	de-ssem	fala-ssem

1 - We use the Imperfect Subjunctive instead of the Present Subjunctive when we want to mention past events, when the principal verb is in the Past or when we mention a doubtful, unlikely event.

2 - After:

Como se (as.if)

3 - After the following conjunctions, when we want to mention an unlikely action:

Se (if)
quando (when)
como (as)
enquanto (while)

logo que (as soon as)
assim que (as soon as)
sempre que (whenever)

EX.: JORGE: **Mesmo que quisesse** abrir uma conta a prazo, não podia.
JORGE: Sim, agradecia, **se fosse** possível.
JORGE: **Se o banco fechasse** à hora do almoço, não podia vir cá amanhã.
BANCÁRIO: **Talvez demorasse** mais de uma semana por causa da greve dos bancos em Londres.

EXERCÍCIOS
EXERCISES

I

RESPONDA POR FAVOR
PLEASE WRITE THE ANSWERS:

1 - Que quantia em dinheiro é que o Jorge vai depositar para abrir a conta?
2 - Para onde o banco vai mandar o extracto mensal da conta do Jorge?
3 - Que tipo de conta é que o Jorge vai abrir?
4 - Como é que o Jorge quis o dinheiro trocado?
5 - A que horas é que os bancos abrem e fecham em Lisboa?

II

QUEM DIZ?
WHO SAYS?

1 - Nós oferecemos um juro muito vantajoso...
2 - Sim, agradecia, se fosse possível.
3 - Onde? Ah! Já sei. Obrigado.

III

COMPLETE OS ESPAÇOS COM AS PALAVRAS ADEQUADAS
FILL IN THE GAPS WITH SUITABLE WORDS

1 - Queria __________________ uma conta à ordem, por favor.

2 - Queira _________________ este impresso, por favor.

3 - Quanto vai _____________________ para abrir a sua conta?

4 - Não prefere ____________________ primeiro o cheque?

5 - Agora queira dirigir-se à ________________ 3.

IV

VERDADEIRO OU FALSO?
TRUE OR FALSE?

	Verdadeiro (True)	Falso (False)
1 - O Jorge vai abrir uma conta a prazo.	☐	☐
2 - O Jorge quis o dinheiro trocado em notas de 1.000$00 (5€).	☐	☐
3 - Os bancos em Portugal fecham à hora do almoço.	☐	☐
4 - O banco vai mandar o extracto mensal da conta do Jorge para a morada de Lisboa.	☐	☐

V

NUMERE AS FRASES DE 1 A 5 DE ACORDO COM O TEXTO
NUMBER THE SENTENCES FROM 1 TO 5 ACCORDING TO THE TEXT

☐ - Não há dúvida que está sempre a subir.
☐ - Não prefere levantar primeiro o cheque?
☐ - O Sr. tem morada em Lisboa?
☐ - Não, estamos abertos das 8h30 às 15h.
☐ - Queira dirigir-se à caixa 3 e aguardar que o chamem.

VI

ASSINALE A INFORMAÇÃO CORRECTA
TICK THE CORRECT INFORMATION

1 - A como está a libra?
261,35 262,35 162,35

2 - O Jorge quis o dinheiro trocado em:
notas de 15 mil (75€) notas de 10 mil (50€) notas de 1.000 escudos (5€)

3 - Os bancos estão abertos:
à hora do almoço das 8:30 às 15:30 das 8:30 às 15:00

VII

COMPLETE OS ESPAÇOS COM OS TEMPOS ADEQUADOS DOS VERBOS INDICADOS ENTRE PARÊNTESES

FILL IN THE GAPS WITH THE CORRECT TENSES OF THE VERBS SHOWN IN BRACKETS

1 - Eu preferia que o banco _________(enviar) o extracto da minha conta para a minha morada de Lisboa.

2 - O empregado quis que eu ___________________(preencher) aquela ficha.

3 - Se o banco ____________(fechar) à hora do almoço eu não podia ir lá na segunda-feira.

SOLUÇÕES DOS EXERCÍCIOS

I

1 - O Jorge vai depositar 20.000$00 (100€) em dinheiro.
2 - Para a sua morada em Lisboa
3 - Uma conta à ordem.
4 - Em notas de mil (5€) e de dez mil escudos (50€).
5 - Os bancos abrem às 8:30 e fecham às 15 horas.

II

1 - O bancário.
2 - O Jorge.
3 - O Jorge.

III

1 - Queria ABRIR uma conta à ordem, por favor.
2 - Queira PREENCHER este impresso, por favor.
3 - Quanto vai DEPOSITAR para abrir a sua conta?
4 - Não prefere LEVANTAR primeiro o cheque?
5 - Agora queira dirigir-se à CAIXA 3.

IV

1 - Falso.
2 - Verdadeiro.
3 - Falso.
4 - Verdadeiro.

V

3 - Não há dúvida que está sempre a subir.
2 - Não prefere levantar primeiro o cheque?
1 - O Sr. tem morada em Lisboa?
5 - Não, estamos abertos das 8h30 às 15h.
4 - Queira dirigir-se à caixa 3 e aguardar que o chamem.

VI

1 - 261,35
2 - notas de 1.000 escudos (5€)
3 - das 8:30 às 15:00

VII

1 - Eu preferia que o banco ENVIASSE o extracto da minha conta para a minha morada de Lisboa.
2 - O empregado quis que eu PREENCHESSE aquela ficha.
3 - Se o banco FECHASSE à hora do almoço eu não podia ir lá na segunda-feira.

UNIDADE 13

Na Farmácia

JORGE: Desculpa, Cristina. Acho que cheguei um pouco atrasado.

CRISTINA: Eu já estava admirada. Ia telefonar-te. Aconteceu alguma coisa?

JORGE: Hoje não me sinto lá muito bem; acho que estou um pouco doente.

CRISTINA: Como é que te sentes?

JORGE: Tenho dores de cabeça e também me dói um pouco a garganta.

CRISTINA: E tens febre?

JORGE: Sim, alguma. Pus o termómetro e tinha 37,5°.

CRISTINA: Tens a testa quente, tens. Deve ser gripe. Já foste à farmácia?

JORGE: Não, ainda não fui. É melhor ir, não achas?

CRISTINA: Acho, pois. Olha, há ali uma perto.

JORGE: Bom dia. Tenho dores de cabeça e dói-me um pouco a garganta. O Senhor pode indicar-me um medicamento para isto?

FARMACÊUTICO: Sente também dores no corpo?

JORGE: Sim, um pouco.

FARMAC.: E tem tosse?

JORGE: Como vê, tenho um pouco, mas mais à noite.

FARMAC.: Penso que não é muito grave. Talvez seja gripe, mas deve ser apenas uma constipação. Só um momento.

JORGE: Com certeza.

FARMAC.: Tenho aqui estes comprimidos, que são muito bons para a gripe.

JORGE: Tomo-os todos?

FARMAC.: Não, não tome todos. Tome 3 por dia, um depois de cada refeição, durante 3 dias.

JORGE: Muito obrigado.

UNIT 13

At The Pharmacy

JORGE: Sorry, Cristina, I think I arrived a bit late.

CRISTINA: I was wondering already. I was about to phone you. Has anything happened?

JORGE: I don't feel all that well today. I think I'm a little ill.

CRISTINA: How do you feel?

JORGE: I've got a headache and my throat hurts a little, too.

CRISTINA: And do you feel feverish? (Do you have a fever?)

JORGE: Yes, a bit. I checked with a thermometer and it read (I had) 37.5°C.

CRISTINA: Your forehead is hot, yes. It must be the flu. Have you been to a pharmacy yet?

JORGE: No, I haven't yet. I'd better go, don't you think?

CRISTINA: I do, of course. Look! There's one just over there.

JORGE: Good morning. I have a headache and a bit of a sore throat. Can you suggest any medicine (medication) for this?

EMPLOYEE: Do you also feel pain in your body?

JORGE: Yes, a little.

EMPLOYEE: And do you have a cough?

JORGE: Some, as you see, but more at night.

EMPLOYEE: I think it isn't very serious. It might be flu, but it's likely to be only a cold. Just a moment.

JORGE: Certainly.

EMPLOYEE: I have these pills here, which are very good for the flu.

JORGE: Do I take them all?

EMPLOYEE: No, don't take all of them. Take 3 a day, one after each meal, for 3 days.

JORGE: Thank you very much.

CRISTINA: Queria um frasco de mercúrio e um maço de algodão. Olhe, e adesivos também, se faz favor.

FARMAC.: Aqui está: um frasco de mercúrio, um maço de algodão e um rolo de adesivo. Mais alguma coisa?

CRISTINA: Sim, eu queria uma caixa de aspirinas.

FARMAC.: Uma caixa?

CRISTINA: Sim, uma caixa, se faz favor.

JORGE: Lembrei-me agora que preciso de comprar uma pasta de dentes.

FARMAC.: Tem alguma marca preferida?

JORGE: Não, uma qualquer que seja boa.

FARMAC.: Pode ser esta?

JORGE: Pode, sim. Quanto é tudo?

FARMAC.: Junto ou separado?

CRISTINA: Separado.

FARMAC.: Ora bem, o Senhor paga: esta caixa de comprimidos e a pasta de dentes. São 655$00 (3,27€). A Senhora paga: o mercúrio, o algodão, o adesivo e a caixa de aspirinas. É tudo 870$00 (4,34€).

JORGE: Acho que me vou deitar um pouco. Não te importas que eu vá para casa?

CRISTINA: Claro que não. Não te esqueças que tens de tomar 3 comprimidos por dia. Não precisas mais de mim?

JORGE: Não, obrigado. À tarde, eu telefono-te.

CRISTINA: Toma: as aspirinas são para ti.

> Eu <u>já</u> estava admirada.
>
> <u>Já</u> foste à farmácia?
>
> Não, <u>ainda não</u> fui.
>
> Tomo-os <u>todos</u>?
>
> Não precisas mais <u>de</u> mim?

CRISTINA: I would like a bottle of mercurochrome and a pack of cotton wool. Oh! and also some plasters, if you please.

EMPLOYEE: Here is a bottle of mercurochrome, a pack of cotton wool and some plasters. Anything else?

CRISTINA: Yes, I'd like a box of aspirins.

EMPLOYEE: A box?

CRISTINA: Yes, one box, if you please.

JORGE: I've just remembered that I must buy toothpaste.

EMPLOYEE: Have you any preferred brand?

JORGE: No, any one that's good.

EMPLOYEE: Can it be this one?

JORGE: Yes, it can. How much is it all?

EMPLOYEE: All together or separately?

JORGE: Separately.

EMPLOYEE: Let's see, you, sir, you pay: this package of pills and the toothpaste. That's 655$00 (3,27€). The young lady pays: the mercurochrome, the cotton wool, the plasters and the aspirins. It all comes to 870$00 (4,34€).

JORGE: I think I'm going to lie down a little. Won't you mind if I go home?

CRISTINA: Of course not. Don't forget you must take 3 pills a day. You won't be needing me any more?

JORGE: No, thanks. I'll call you this afternoon.

CRISTINA: Here: the aspirins are for you.

> I was wondering <u>already</u>.
>
> Have you been to a pharmacy <u>yet</u>?
>
> No, I have<u>n't</u> <u>yet</u>
>
> Do I take them <u>all</u>?
>
> You won't be needing me any more?

UNIDADE 13
UNIT 13

NA FARMÁCIA
AT THE PHARMACY

ESTUDO DA LÍNGUA
LANGUAGE STUDY

Pronomes Pessoais precedidos de Preposição
Personal Pronouns preceded by a Preposition

PRECISAR DE (to need someone)	**TELEFONAR PARA** (to phone to)
de **mim**	para **mim**
de **ti**	para **ti**
de **si** /do **senhor/**	para **si** /para **o senhor/**
da **senhora/dele/dela**	para **a senhora**/para **ele**/para **ela**
de **nós**	para **nós**
de **vocês**/dos **senhores/**	para **vocês**/para **os senhores/**
das **senhoras/deles/delas**	para **as senhoras**/para **eles**/para **elas**

NOTE: After the preposition **"com"** (see Unit 4 - Language Study)

Ex: CRISTINA: As aspirinas são **para ti**.
CRISTINA: Não precisas mais de **mim**?

Use of { já (already) / ainda não (not yet) } with the Past Tense

EX: CRISTINA: **Já foste** a uma farmácia?
JORGE: Não, **ainda não fui**.

Todo (every, all) and **tudo** (everything)

Tudo is invariable, being an adverb. **Todo** varies in gender and number.

EX: JORGE: Tomo-os **todos**? (os comprimidos)
JORGE: Quanto é **tudo**?
EMPREGADO: É **tudo** 2.050$00 (10,25€).

Verbo Doer (to ache, to hurt, to be sore)
Present
Sing: dói
Plur: doem

EX.: JORGE: Tenho dores de cabeça e também me **dói** a garganta.

You could also say: **Dói-me** a cabeça, tenho dores de garganta.

EXERCÍCIOS
EXERCISES

I

RESPONDA POR FAVOR
PLEASE WRITE THE ANSWERS:

1 - Porque é que a Cristina ia telefonar ao Jorge?
2 - Como é que o Jorge se sente?
3 - O que é que o Jorge vai tomar para a gripe?
4 - O que é que o Jorge comprou na farmácia?
5 - Quanto é que a Cristina pagou ao empregado da farmácia?

II

QUEM DIZ?
WHO SAYS?

1 - E tens febre?
2 - Sente também dores no corpo?
3 - Uma caixa?
4 - Lembrei-me agora que preciso de comprar uma pasta de dentes.

III

COMPLETE OS ESPAÇOS COM AS PALAVRAS ADEQUADAS
FILL IN THE GAPS WITH SUITABLE WORDS

1 - Como é que te ______________? E tens ______________?

2 - Tenho __________ _______ cabeça e também me dói a garganta.

3 - Quantos ___________________ tomo por dia?

4 - Tome 3 comprimidos por dia, um depois de cada _________________.

5 - Lembrei-me agora que preciso de comprar uma ____________________ de dentes.

6 - Tem alguma ____________________ preferida?

IV

VERDADEIRO OU FALSO?
TRUE OR FALSE?

	Verdadeiro (True)	Falso (False)
1 - O Jorge está muito doente.	☐	☐
2 - O Jorge tem um pouco de tosse.	☐	☐
3 - O Jorge tem uma marca preferida de pasta de dentes.	☐	☐
4 - O Jorge vai para casa trabalhar.	☐	☐

V

NUMERE AS FRASES DE 1 A 5 DE ACORDO COM O TEXTO
NUMBER THE SENTENCES FROM 1 TO 5 ACCORDING TO THE TEXT

☐ - Como vê, tenho um pouco, mas mais à noite.
☐ - Sente também dores no corpo?
☐ - Acho, pois. Olha, há ali uma perto.
☐ - Sim, se faz favor, uma caixa.
☐ - Sim, eu queria aspirinas.

VI

ASSINALE A INFORMAÇÃO CORRECTA
TICK THE CORRECT INFORMATION

1 - Qual é a temperatura do Jorge?
37,5°   36°   38°

2 - O Jorge comprou na farmácia:
um rolo de adesivo   uma pasta de dentes   algodão

VII

COMPLETE OS ESPAÇOS COM OS TEMPOS ADEQUADOS DOS VERBOS INDICADOS ENTRE PARÊNTESES

FILL IN THE GAPS WITH THE CORRECT TENSES OF THE VERBS SHOWN IN BRACKETS

1 - O que é que o Sr. ____________________(sentir) agora?

2 - ______________-me (doer) um pouco a garganta.

3 - O Sr. já _______________(ver) a sua temperatura?

4 - Não, ainda não ______________(ver).

SOLUÇÕES DOS EXERCÍCIOS

I

1 - Porque ele estava atrasado.
2 - Tem dores de cabeça e dói-lhe um pouco a garganta.
3 - O Jorge vai tomar comprimidos.
4 - Uma caixa de comprimidos para a gripe e uma pasta de dentes.
5 - Ela pagou 870$00 (4,34€).

II

1 - A Cristina.
2 - O farmacêutico.
3 - O farmacêutico.
4 - O Jorge.

III

1 - Como é que te SENTES? E tens FEBRE?
2 - Tenho DORES DE cabeça e também me dói a garganta.
3 - Quantos COMPRIMIDOS tomo por dia?
4 - Tome 3 comprimidos por dia, um depois de cada REFEIÇÃO.
5 - Lembrei-me agora que preciso de comprar uma PASTA de dentes.
6 - Tem alguma MARCA preferida?

IV

1 - Falso.
2 - Verdadeiro.
3 - Falso.
4 - Falso.

V

3 - Como vê, tenho um pouco, mas mais à noite.
2 - Sente também dores no corpo?
1 - Acho, pois. Olha, há ali uma perto.
5 - Sim, uma caixa, se faz favor.
4 - Sim, eu queria uma caixa de aspirinas.

VI

1 - 37,5°
2 - uma pasta de dentes

VII

1 - O que é que o Sr. SENTE agora?
2 - DÓI-ME um pouco a garganta.
3 - O Sr. já VIU a sua temperatura?
4 - Não, ainda não VI.

UNIDADE 14

Na Loja

1ª SITUAÇÃO

EMPREGADA: Bom dia. O que deseja?

TERESA: Bom dia. Queria ver blusas de seda.

EMPREGADA: De que cor?

TERESA: Azul escuro ou roxo.

EMPREGADA: Um momento. Vou buscar-lhe dois modelos muito bonitos. Chegaram ontem. Trago-lhe estes 2 modelos: um em azul escuro, o outro em roxo.

TERESA: Esta aqui é muito bonita. Gosto dela. Posso vesti-la?

EMPREGADA: Claro. O gabinete de provas é ali em frente

TERESA: Pode chegar aqui, se não se importa?

TERESA: A gola, aqui no pescoço, está um pouco larga, não acha? É preciso apertar. A manga está também um pouco comprida.

EMPREGADA: Isso não é problema. A nossa costureira trata de tudo... Ela vai apertar aqui a gola e encurtar a manga... Quer que a chame?

TERESA: Sim, se faz favor. Ah! desculpe, quando é que fica pronta?

EMPREGADA: Dentro de 2 dias.

2ª SITUAÇÃO

EMPREGADA: Bom dia. O que deseja?

CRISTINA: Queria ver sapatos pretos de salto baixo. Tipo prático, para usar todos os dias.

EMPREGADA: Que número calça?

CRISTINA: Traga-me o 35 e o 36; às vezes depende do modelo.

EMPREGADA: Muito bem. Volto já.
Tenho aqui um modelo muito bonito. Gosta? Trouxe 2 pares - um 35 e outro 36.

UNIT 14

At The Shop

1ST SITUATION

EMPLOY.: Good morning. Can I help you?

TERESA: Good morning. I'd like to have a look at silk blouses.

EMPLOY.: What colour?

TERESA: Dark blue or violet.

EMPLOY.: Just a moment. I'll fetch two lovely models. They came in yesterday.
I brought you two different designs: one in dark blue, another in violet.

TERESA: This blouse is really pretty. I like it. May I try it on?

EMPLOY.: Of course. The fitting-room is over there on the right.

TERESA: Could you come here, if you don't mind?

TERESA: The collar is a bit wide here at the neck, don't you think? It must be taken in (tightened) a little. The sleeve(s) is (are) also a bit long.

EMPLOY.: That's no problem. Our seamstress will take care of everything. She'll take in the collar, here, and shorten the sleeves. Do you want me to call her?

TERESA: Yes, if you please. Excuse me, when will it be ready?

EMPLOY.: Within two days.

2ND SITUATION

EMPLOY.: Good morning. Can I help you?

CRISTINA: I would like to see low-heeled black shoes. The practical type, for everyday wear.

EMPLOY.: What size shoe do you take?

CRISTINA: Bring me no.35 and 36 - sometimes it depends on the style.

EMPLOY.: Very well. I'll be back now.
Here's a very pretty model. Do you like it? I've brought two pairs - one 35 and one 36.

CRISTINA: Gosto. É um modelo realmente bonito. Vou calçar primeiro o 35. Ficam-me bem, não acha? Sinto-me confortável com eles. Quanto custam?

EMPREGADA: Sete mil escudos (35€).

CRISTINA: São um pouco caros. Mas.... ficam-me tão bem! Vou levá-los.

3ª SITUAÇÃO

CRISTINA: Por favor, onde é que fica a secção de roupa de homem?

EMPREGADA: Bom dia?

CRISTINA: Por favor, onde é que fica a secção de roupa de homem?

EMPREGADA: Fica no 2º andar. O elevador é ali ao fundo, ao lado direito.

CRISTINA: Obrigada.

EMPREGADA: De nada.

JORGE: Fizeste uma boa compra. Os sapatos ficam-te muito bem.

CRISTINA: Ainda bem que gostas. Fico muito contente.

4ª SITUAÇÃO

EMPREGADO: O que deseja?

JORGE: Queria ver fatos de verão. Quanto à cor, gosto de cinzento ou de verde claro.

EMPREGADO: Qual é o seu número, por favor?

JORGE: 48.

EMPREGADO: Gosta deste modelo? E da cor?

JORGE: Não, não gosto muito. Tem outros modelos?

EMPREGADO: Também temos este. O tecido é melhor, é mais leve.

JORGE: Posso provar este?

EMPREGADO: Com certeza.

CRISTINA: I like it. This model is pretty indeed. I'll try out the 35 first.
They suit me, don't you think? I feel comfortable in them. How much are they?

EMPLOY.: Seven thousand escudos (35€).

CRISTINA: They are a bit expensive. But they suit me so... I'll take them.

3RD SITUATION

CRISTINA: Where do I find the mens' wear department, please?

ATTENDANT: Good morning?

CRISTINA: Where do I find the mens' wear department, please?

ATTENDANT: On the 2nd floor. The lift is over there at the end, on the right hand side.

CRISTINA: Thank you.

ATTENDANT: Not at all.

JORGE: You've made a good buy. They really suit you.

CRISTINA: I'm glad you like them. It makes me happy.

4TH SITUATION

EMPLOY.: Can I help you?

JORGE: I would like to have a look at summer suits. As for the colour, I like grey or pale green.

EMPLOY.: What is your size, please?.

JORGE: 48.

EMPLOY.: Do you like this design? What about the colour?

JORGE: No, I don't like it very much. Have you got other designs?

EMPLOY.: We also have this one. The material is of better quality, it's lighter.

JORGE: May I try this one?

EMPLOY.: Certainly.

JORGE: Está óptimo. As calças é que estão um pouco curtas.

EMPREGADO: Sim, sim.

JORGE: É preciso descer a bainha. O casaco assenta-me bem. Cristina, o que achas? Fica-me bem?

CRISTINA: Muito bem. Não deves hesitar. É um fato muito bonito.

JORGE: Bom, está decidido. Vou comprá-lo.

<u>Onde</u> é que <u>fica</u> a secção de roupa de homem?
<u>Ficam-me</u> bem, não acha?
Quando é que <u>fica</u> pronta?

JORGE: It fits perfectly. Only the trousers are a bit short.

EMPLOY.: Yes, yes.

JORGE: The hem must come down. The coat fits me really well. Cristina, what do you think? Does it suit me?

CRISTINA: Really well. You mustn't hesitate. It's a lovely suit.

JORGE: Well, it's settled. I'll buy it.

> Where do I find the men's wear department?
>
> They suit me, don't you think?
>
> When will it be ready?

UNIDADE 14
UNIT 14

NA LOJA
AT THE SHOP

ESTUDO DA LÍNGUA
LANGUAGE STUDY

Revisions

I

Verb - **Ficar** (See Unit 9 - Language Study)

Ex: CRISTINA: **Onde** é que **fica** a secção de roupa de senhora?

(to be situated)

CRISTINA: **Ficam-me** bem, não acha?

(to suit)

CRISTINA: **Fico** muito contente.

(to be; to be made, as in "it makes me glad")

II

Imperative (See Unit 7 - Language Study)

CRISTINA: **Traga-me** o 37 ou o 38.

EXERCÍCIOS
EXERCISES

I

RESPONDA POR FAVOR
PLEASE WRITE THE ANSWERS:

1 - Como são os sapatos que a Cristina quer comprar?
2 - Que número é que a Cristina calça?
3 - Quem é que vai encurtar a manga da blusa da Teresa?
4 - O que é que o Jorge quer comprar?

II

QUEM DIZ?
WHO SAYS?

1 - Gosto. Este modelo é realmente bonito.
2 - Ficam-me bem, não acha?
3 - Trago-lhe estes 2 modelos .
4 - Pode chegar aqui, se não se importa?

III

COMPLETE OS ESPAÇOS COM AS PALAVRAS ADEQUADAS
FILL IN THE GAPS WITH SUITABLE WORDS

1 - Queria ver sapatos pretos de ________________ baixo.
2 - Que número ______________?
3 - Vou vestir esta blusa. Onde é o ________________ de provas?
4 - Esta blusa é muito bonita. Acham que me ________________ bem?

IV

VERDADEIRO OU FALSO?
TRUE OR FALSE?

	Verdadeiro (True)	Falso (False)
1 - A Cristina quer comprar um par de sapatos azuis de salto baixo	☐	☐
2 - A Cristina comprou aqueles sapatos porque eram muito baratos.	☐	☐
3 - A manga da blusa azul da Teresa está um pouco comprida.	☐	☐
4 - O Jorge quer comprar um fato de verão.	☐	☐

V

NUMERE AS FRASES DE 1 A 5 DE ACORDO COM O TEXTO
NUMBER THE SENTENCES FROM 1 TO 5 ACCORDING TO THE TEXT

☐ - Também temos este. O tecido é melhor, mais leve.
☐ - Gosta deste modelo? E da cor?
☐ - Que número calça?
☐ - Quando é que fica pronta?
☐ - Mas ficam-me tão bem!

VI

ASSINALE A INFORMAÇÃO CORRECTA
TICK THE CORRECT INFORMATION

1 - A blusa azul está pronta dentro de:
1 dia   2 dias   12 dias

2 - As calças do fato do Jorge estão:
muito curtas   compridas   um pouco curtas

VII

COMPLETE OS ESPAÇOS COM OS TEMPOS ADEQUADOS DOS VERBOS INDICADOS ENTRE PARÊNTESES
FILL IN THE GAPS WITH THE CORRECT TENSES OF THE VERBS SHOWN IN BRACKETS

1 - Onde é que ______________(ficar) a secção de roupa de homem?

2 - ______________________(mostrar), por favor, a blusa azul.

3 - Gosto mais do fato que me ______________________(trazer) antes deste.

4 - Qual dos dois fatos ____________________(gostar) de vestir?

SOLUÇÕES DOS EXERCÍCIOS

I

1 - São pretos de salto baixo.
2 - A Cristina calça o nº 35.
3 - A costureira da loja.
4 - Ele quer comprar um fato.

II

1 - A Cristina
2 - A Cristina
3 - A empregada
4 - A Teresa

III

1 - Queria ver os sapatos pretos de SALTO baixo.
2 - Que número CALÇA?
3 - Vou vestir esta blusa. Onda é o GABINETE de provas?
4 - Esta blusa é muito bonita. Acham que me FICA bem?

IV

1 - Falso
2 - Falso
3 - Verdadeiro
4 - Verdadeiro

V

5 - Também temos este. O tecido é melhor, mais leve.
4 - Gosta deste modelo? E da cor?
2 - Que número calça?
1 - Quando é que fica pronta?
3 - Mas ficam-me tão bem!

VI

1 - 2 dias
2 - um pouco curtas

VII

1 - Onde é que FICA a secção de roupa de homem?
2 - MOSTRE-ME, por favor, a blusa azul.
3 - Gosto mais do fato que me TROUXE antes deste.
4 - Qual dos dois fatos GOSTAVA/GOSTARIA de vestir?

UNIDADE 15

O Convite

CRISTINA: As tuas férias chegaram ao fim. Tiveste muita sorte com o tempo! Notaste que nunca choveu?

JORGE: É verdade. Nunca precisei de usar o guarda-chuva!

ANA: Se um dia voltares a Portugal, espero que tenhas a mesma sorte.

JORGE: Se voltar? É claro que eu hei-de voltar. Não sei quando, mas será muito em breve.

CRISTINA: Isso dizes tu. Acredita que, se nos escreveres, ficaremos surpreendidas.

JORGE: É evidente que hei-de escrever e telefonar muitas vezes.

CRISTINA: Ver-se-á.

ANA: Bem, o que vamos fazer neste fim de tarde?

CRISTINA: E se fossemos a Belém? A esta hora é muito agradável estar perto do rio. Vamos de autocarro?

ANA: Não, vamos antes de eléctrico. É mais giro.

JORGE: Boa ideia. Vamos?

CRISTINA: Vamos. Vou só trocar de roupa.

JUNTO À TORRE DE BELÉM

JORGE: Vocês querem sentar-se ali na relva?

ANA: Está bem, vamos.

CRISTINA: É tão bom estar aqui a esta hora! Oh! Ana, havemos de cá voltar mais vezes.

JORGE: Infelizmente não poderei vir aqui convosco. Na próxima semana já estarei em Inglaterra.

CRISTINA: Eu não conheço a Inglaterra. Nunca tive essa oportunidade.

JORGE: Vocês ainda têm férias este ano?

UNIT 15

The Invitation

CRISTINA: Your holidays are over. You were very lucky with the weather. Did you notice it never rained?

JORGE: It's true. I never had to carry my umbrella.

ANA: If one day you should return to Portugal I hope you'll have the same luck.

JORGE: If I should return?! Of course I will come back. I don't know when, but it will be quite soon.

CRISTINA: So you say. Believe me, if you write to us, we'll be surprised.

JORGE: Obviously, I will write and phone very often.

CRISTINA: We'll see.

ANA: Well, what shall we do this evening?

CRISTINA: How about going to Belém? At this time of day (hour) it's quite pleasant to be by the river. Shall we take a bus?

ANA: No, let's rather go by tram. It's more fun.

JORGE: Good idea. Shall we go?

CRISTINA: Let's go. I'm just going to change clothes.

NEAR THE "TORRE DE BELÉM"

JORGE: Do you feel like sitting there on the lawn?

ANA: Okay, let's go.

CRISTINA: It's so nice to be here at this time! Oh! Ana, we must surely come back here more often!

JORGE: Unfortunately, I shan't be able to come here with you. By next week, I'll be back in the U.K.

CRISTINA: I don't know the U.K. I've never had the chance to.

JORGE: Will you still have any holidays this year?

ANA: Eu, infelizmente, já não tenho.

CRISTINA: Mas eu ainda tenho 2 semanas.

JORGE: Óptimo. Já sei onde vais passar essas 2 semanas.

CRISTINA: Sabes?

JORGE: Sei.

CRISTINA: Duvido.

JORGE: Quanto queres apostar?

CRISTINA: Se acertares, pago-te uma cerveja.

JORGE: Combinado!

CRISTINA: Então, diz lá...

JORGE: Vais à Inglaterra. Ofereço-te a viagem e a estadia.

CRISTINA: Não, não posso aceitar.

JORGE: Podes e deves! Se aceitares, estaremos juntos muito em breve.

CRISTINA: Não quero decidir agora. Mas... se for possível... Está bem.

JORGE: Essa resposta é afirmativa?

CRISTINA: Talvez.

JORGE: Está combinado! Vão ser duas semanas muito importantes para mim.

ANA: Não acham que já é tarde? Vamos andando?

CRISTINA E JORGE: Okay, vamos.

Se um dia voltares a Portugal...

Se acertares, pago-te uma cerveja.

Se for possível....está bem.

É claro que hei-de voltar.

Hei-de escrever e telefonar muitas vezes

Havemos de cá voltar mais vezes

ANA: I don't anymore, unfortunately.

CRISTINA: But I still have two weeks.

JORGE: Great. I know already where you'll be spending those two weeks.

CRISTINA: You do?

JORGE: I do.

CRISTINA: I doubt it.

JORGE: How much do you want to bet?

CRISTINA: If you win (should you be right), I'll buy you a beer.

JORGE: It's a deal.

CRISTINA: So tell me, then...

JORGE: You're going to the U.K. Trip and lodging on me.

CRISTINA: No, I can't accept it.

JORGE: You can and you must.!
If you accept it, we'll be together very soon.

CRISTINA: I don't want to make a decision right now. But... if it's possible... All right.

JORGE: Is that a positive answer?

CRISTINA: Perhaps.

JORGE: It's settled!
Those will be two very important weeks for me.

ANA: Don't you think it's getting late? Shall we get going?

CRISTINA
& JORGE: Okay, let's go.

> If one day you should return to Portugal
>
> If you win, I'll buy you a beer.
>
> If it's possible… all right.
>
> Of course I will come back.
>
> I will write and phone very often
>
> We must come back here more often.

UNIDADE 15
UNIT 15

O CONVITE
THE INVITATION

Futuro do Conjuntivo
Future Subjunctive

We form the Future Subjunctive from the Past Tense (third person plural), by crosing out the two last letters (-am) and adding:

Ex:. for-am - tu for+es

	1st Conjugation	2nd Conjugation	3rd Conjugation	4th Conjugation	5th Conjugation
Infinitive:	IR (to go)	LER (to read)	VIR (to come)	TER (to have)	DAR (to give)
eu	for	ler	vier	tiver	der
tu	for-es	ler-es	vier-es	tiver-es	der-es
você/ele/ela o senhor/ a senhora	for	ler-	vier	tiver	der
nós	**for-mos**	**ler-mos**	**vier-mos**	**tiver-mos**	**der-mos**
vocês/eles/elas os senhores/ as senhoras	for-em	ler-em	vier-em	tiver-em	der-em

We use the Future Subjunctive

1 - After the following conjunctions, when we want to mention a future or unlikely action:

se (if)
quando (when)
com (as)
enquanto (while)
logo que (as soon as)
assim que (as soon as)
sempre que (whenever)

Ex.: TERESA: **Se um dia voltares** a Portugal, espero que tenhas a mesma sorte.
JORGE: **Se voltar**?
CRISTINA: **Se aceitares**, pago-te uma cerveja.
JORGE: **Se aceitares**, estaremos juntos muito em breve.
CRISTINA: **Se for possível**... Está bem.

Future intention/ conviction

haver de + infinito
there to be + infinitive

(eu) (tu) (você, ele, ela) (nós) (vocês, eles, elas)	**hei-** **hás-** **há-** **havemos** **hão-**	**de**	**fazer**

Eu hei-de fazer - I will do.

Ex.: JORGE: É claro que **hei-de voltar**.
JORGE: É evidente que **hei-de escrever** e telefonar.
CRISTINA: Oh! Ana, **havemos de** cá **voltar** mais vezes.

EXERCÍCIOS
EXERCISES

I

RESPONDA POR FAVOR
PLEASE WRITE THE ANSWERS:

1 - Porque razão o Jorge teve muita sorte com o tempo em Portugal?

2 - Para onde é que o Jorge, a Teresa e a Cristina foram naquele fim de tarde? E como foram?

3 - O que é que o Jorge ofereceu à Cristina?

4 - Qual foi a resposta da Cristina?

II

QUEM DIZ?
WHO SAYS?

1 - Ver-se-á.
2 - Vamos de autocarro?.
3 - Eu, infelizmente, já não tenho.
4 - Então, diz lá...

III

COMPLETE OS ESPAÇOS COM AS PALAVRAS ADEQUADAS
FILL IN THE GAPS WITH SUITABLE WORDS

1 - Tiveste muita ____________________ com o tempo!

2 - Nunca precisei de usar o ______________________!

3 - Não, vamos antes de ______________________. É mais giro.

4 - A esta hora é muito agradável estar__________________ do rio.

IV

VERDADEIRO OU FALSO?
TRUE OR FALSE?

	Verdadeiro (True)	Falso (False)
1 - O Jorge, a Cristina e a Teresa foram a Belém de manhã.	☐	☐
2 - O Jorge vai escrever muitas vezes de Londres.	☐	☐
3 - A Cristina conhece a Inglaterra.	☐	☐

V

NUMERE AS FRASES DE 1 A 5 DE ACORDO COM O TEXTO
NUMBER THE SENTENCES FROM 1 TO 5 ACCORDING TO THE TEXT

☐ - Está combinado. Vão ser duas semanas muito importantes para mim.
☐ - Quanto queres apostar?
☐ - É evidente que hei-de escrever e telefonar muitas vezes.
☐ - Vocês querem sentar-se ali na relva?
☐ - Eu, infelizmente, já não tenho.

VI

ASSINALE A INFORMAÇÃO CORRECTA
TICK THE CORRECT INFORMATION

1 - A Cristina ainda tem alguns dias de férias. Quantos?
1 semana   2 semanas   3 semanas

2 - Onde é que se sentam quando chegam a Belém?
junto ao rio   no jardim   na relva

VII

COMPLETE OS ESPAÇOS COM OS TEMPOS ADEQUADOS DOS VERBOS INDICADOS ENTRE PARÊNTESES

FILL IN THE GAPS WITH THE CORRECT TENSES OF THE VERBS SHOWN IN BRACKETS

1 - Quando ____________________(voltar) a Londres vais escrever-nos?

2 - É evidente que _____________ (haver de) escrever e telefonar muitas vezes.

3 - Se a Cristina ______________(visitar) Londres, vai conhecer os pais do Jorge.

4 - Se vocês ____________________(conhecer) Londres, vão gostar muito dessa cidade.

SOLUÇÕES DOS EXERCÍCIOS

I

1 - Porque nunca choveu.
2 - Eles foram a Belém, de eléctrico.
3 - Ele ofereceu uma viagem e a estadia em Londres.
4 - Talvez/ Sim.

II

1 - A Cristina.
2 - A Cristina.
3 - A Ana.
4 - A Cristina.

III

1 - Tiveste muita SORTE com o tempo!
2 - Nunca precisei de usar o GUARDA-CHUVA!
3 - Não, vamos antes de ELÉCTRICO. É mais giro.
4 - A esta hora é muito agradável estar PERTO/ JUNTO do rio.

IV

1 - Falso.
2 - Verdadeiro.
3 - Falso.

V

5 - Vão ser duas semanas muito importantes para mim.
4 - Quanto queres apostar?
1 - É evidente que hei-de escrever e telefonar muitas vezes.
2 - Vocês querem sentar-se ali na relva?
3 - Eu, infelizmente, já não tenho.

VI

1 - 2 semanas
2 - na relva

VII

1 - Quando VOLTARES a Londres vais escrever-nos?
2 - É evidente que HEI-DE escrever e telefonar muitas vezes.
3 - Se a Cristina VISITAR Londres, vai conhecer os pais do Jorge.
4 - Se vocês CONHECEREM Londres, vão gostar muito dessa cidade.

UNIDADE 16

No Aeroporto

SALA DA TERESA

ANA: Tens muita bagagem?

JORGE: Não, só tenho esta mala e este saco. Quanto é que pesará? Espero que eu não tenha de pagar alguns quilos de excesso de peso.

ANA: Deixa-me ver! Não, não me parece que tenha mais do que 20 quilos!

JORGE: Este saco é que está muito pesado! Felizmente, como o levo comigo como bagagem de mão não o vou pesar.

CRISTINA: Como é a alfândega no aeroporto de Londres? É muito rigorosa?

JORGE: Depende dos fiscais.

TERESA: Mas tu estás calmo, não estás? Não levas nada de contrabando, pois não?

JORGE: Bom, só se for o vinho português...

TERESA: Já confirmei o teu vôo. Toma a tua passagem...

JORGE: (para Cristina) Não demoras?

TERESA: Jorge!

JORGE: Desculpa, estava distraído.

TERESA: É a porta de embarque número 10. Passaporte, documentos, tudo em ordem?

JORGE: Hmm, hmm. Bom, até à vista, Teresa. Mais uma vez, obrigado por tudo. Até já.

CRISTINA: Daqui a meia-hora estou lá.

AEROPORTO

ANA: Então Jorge estás nervoso com a viagem?

JORGE: Não, não tenho medo de andar de avião. Estou um pouco mais nervoso porque deixo aqui muitos amigos.

ANA: Muitos amigos e uma amiga muito especial... que, por acaso, ainda não chegou...

UNIT 16

At the Airport

TERESA'S OFFICE

ANA: Have you got a lot of luggage?

JORGE: No, I have only this case and this bag. How much can it weigh? I hope I won't have to pay a few kilos in excess luggage.

ANA: Let me have a look. No, to me it doesn't seem to weigh more than 20 kg.

JORGE: This bag is pretty heavy! Fortunately, since I'm carrying it with me as hand luggage they won't weigh it.

CRISTINA: How is Customs at London's Airport? Is it very strict?

JORGE: That depends on the inspectors.

TERESA: But you are pretty relaxed, aren't you? You aren't smuggling anything, are you?

JORGE: Only if you mean the Portuguese wine...

TERESA: I have confirmed your flight already. Here is your ticket...

JORGE: (to Cristina) You won't take long?

TERESA: Jorge!

JORGE: Sorry, I was distracted.

TERESA: Gate 10, OK? Passport... documents... all in order?

JORGE: Hmm, hmm... Well, till next time, Teresa. Once more, thank you for everything.

CRISTINA: I'll be there in half an hour

AT THE AIRPORT

ANA: So, are you nervous about your trip, Jorge?

JORGE: No, I'm not afraid of flying. I'm a bit more on edge because I'm leaving many friends behind.

ANA: Many friends and one very special friend...who, as it happens, hasn't arrived yet...

JORGE: Ela deve estar a chegar. É hora de ponta e deve estar imenso trânsito na cidade.

ANA: Vou ali ver o horário da chegada e partida dos vôos internacionais. Quero confirmar o horário do teu vôo.
O horário do teu vôo nem se adiantou nem se atrasou. O avião sai à hora.

JORGE: Vou fazer o check-in.
A bicha era maior do que a do aeroporto de Londres, quando viajei para cá.

ANA: É natural. É o regresso das férias e todos os vôos estão mais cheios do que habitualmente

JORGE: Já são quase 2:30 e a Cristina ainda não chegou!

ANA: Olha quem vem ali!

JORGE E ANA: Cristina! Cristina! Estamos aqui!

CRISTINA: Finalmente. Levei mais de 1 hora a chegar aqui. O trânsito está horrível.

JORGE: Já estava a ficar preocupado...

CRISTINA: Eu sei, mas não podia fazer nada..

ANA: Vamos para a sala de espera, ali estamos mais calmos.

JORGE: Bem, bem... Estes dois meses passaram a correr.

VOZ OFF: "Senhores passageiros para Londres vôo TAP 453, dirijam-se, por favor à porta nº10"

JORGE: Bom, está na hora. Tenho de ir.
Até breve!

> A bicha era <u>maior do que</u> a do aeroporto de Londres.
>
> Não me parece que tenha <u>mais do que</u> 20 kg.
>
> <u>Espero que</u> eu não <u>tenha</u> de pagar...
>
> <u>Nem</u> se adiantou <u>nem</u> se atrasou.

JORGE (OFF): Bom, <u>só se for</u> o vinho português...

JORGE: She should be arriving any minute. It's rush hour and there must be lots of traffic in the city.

ANA: I'm going over there to have a look at the international flights departure and arrival schedule. I want to check your flight schedule.
Your flight schedule has been neither moved forward nor delayed. The plane is taking off on time.

JORGE: I'm going to check in. I'll be back now.
This queue was longer than the one at London's Airport when I flew here.

ANA: That's natural! It's the end of the holiday season and all the flights are fuller than usual.

JORGE: It's almost 2:30 and Cristina hasn't arrived yet!

ANA: Look who's coming!

JORGE and ANA: Cristina!Cristina! We're over here!

CRISTINA: At last! It took me over one hour to get here. The traffic is horrible.

JORGE: I was getting worried already.

CRISTINA: I know, but there was nothing I could do...

ANA: Let's go over to the waiting room, we will be more tranquil there.

JORGE: Well, well... These two months just fled.

VOICE (OFF): "All passengers to London - flight TAP 453 - please proceed to Gate 10."

JORGE: Well, it's time. I must go.

JORGE: See you soon!

> The queue was <u>longer than</u> the one at London's Airport.
>
> To me it doesn't seem to weigh <u>more than</u> 20 kg.
>
> <u>I hope</u> I won't <u>have</u> to pay…
>
> Has been <u>neither</u> moved forward <u>nor</u> delayed

JORGE (OFF): Well, <u>only if you mean</u> the Portuguese wine.....

UNIDADE 16
UNIT 16

NO AEROPORTO
AT THE AIRPORT

EXERCÍCIOS
EXERCISES

I

RESPONDA POR FAVOR
PLEASE WRITE THE ANSWERS:

1 - Qual é a bagagem do Jorge?

2 - Porque é que a Cristina chegou ao aeroporto mais tarde?

3 - Porque é que o Jorge está um pouco nervoso?

4 - Houve alguma alteração no horário do vôo do Jorge?

II

QUEM DIZ?
WHO SAYS?

1 - Tens muita bagagem?

2 - Como é a alfândega no aeroporto de Londres? É muito rigorosa?

3 - Então Jorge estás nervoso com a viagem?

4 - Eu sei, mas não podia fazer nada...

III

COMPLETE OS ESPAÇOS COM AS PALAVRAS ADEQUADAS
FILL IN THE GAPS WITH SUITABLE WORDS

1 - É o regresso das férias, por isso todos os vôos estão muito ______________.

2 - Ela deve estar a chegar. É hora ___ __________ e deve estar imenso trânsito na cidade.

3 - O horário do teu vôo não se alterou. Nem se _________ nem se atrasou. O avião sai à _______.

IV

VERDADEIRO OU FALSO?
TRUE OR FALSE?

	Verdadeiro (True)	Falso (False)
1 - O Jorge vai viajar com duas malas e um saco.	☐	☐
2 - A alfândega no aeroporto de Londres é muito rigorosa.	☐	☐
3 - A Cristina chegou mais tarde por causa do trânsito na cidade.	☐	☐
4 -O Jorge está nervoso porque tem medo de viajar de avião.	☐	☐

V

NUMERE AS FRASES DE 1 A 5 DE ACORDO COM O TEXTO
NUMBER THE SENTENCES FROM 1 TO 5 ACCORDING TO THE TEXT

☐ - Cristina! Estamos aqui.
☐ - Tens muita bagagem?
☐ - Passaporte, documentos, tudo em ordem?
☐ - Muitos amigos e uma amiga muito especial...
☐ - Já estava a ficar preocupado...

VI

ASSINALE A INFORMAÇÃO CORRECTA
TICK THE CORRECT INFORMATION

1 - A Cristina chegou ao aeroporto às:
1:30 2:00 2:30

2 - O vôo do Jorge vai sair:
adiantado à hora atrasado

VII

COMPLETE OS ESPAÇOS COM OS TEMPOS ADEQUADOS DOS VERBOS INDICADOS ENTRE PARÊNTESES

FILL IN THE GAPS WITH THE CORRECT TENSES OF THE VERBS SHOWN IN BRACKETS

1 - Espero que a minha mala não _________________(pesar) mais do que 20 quilos.

2 - A Cristina ainda não _______________(chegar). Certamente o trânsito está horrível.

3 - Cheguei só agora, porque _____________ (haver) muito trânsito.

4 - Eu _____________(estar) distraído, quando me deste o passaporte.

SOLUÇÕES DOS EXERCÍCIOS

I

1 - A bagagem do Jorge é uma mala e um saco.
2 - Porque o trânsito na cidade estava terrível.
3 - Porque ele deixa muitos amigos em Portugal.
4 - Não, não houve alteração. O avião do Jorge sai à hora.

II

1 - A Ana
2 - A Cristina
3 - A Ana
4 - A Cristina

III

1 - É o regresso das férias, por isso todos os vôos estão muito CHEIOS.
2 - Ela deve estar a chegar. É hora DE PONTA e deve estar imenso trânsito na cidade.
3 - O horário do teu vôo não se alterou. Nem se ADIANTOU nem se atrasou. O avião sai à HORA.

IV

1 - Falso
2 - Falso
3 - Verdadeiro
4 - Falso

V

4 - Cristina! Estamos aqui.
1 - Tens muita bagagem?
2 - Passaporte, documentos, tudo em ordem?
3 - Muitos amigos e uma amiga muito especial...
5 - Já estava a ficar preocupado...

VI

1 - 2:30
2 - à hora

VII

1 - Espero que a minha mala não PESE mais do que 20 quilos.
2 - A Cristina ainda não CHEGOU. Certamente o trânsito está horrível.
3 - Cheguei só agora, porque HÁ/HAVIA muito trânsito.
4 - Eu ESTAVA distraído, quando me deste o passaporte.

VERBOS REGULARES
REGULAR VERBS

Infinitive	falar (to speak)	comer (to eat)	partir (to leave)
Past participle	falado	comido	partido
Present subjunctive	fale	coma	parta
Present eu tu ele, ela, você, etc. nós eles, elas, vocês, etc.	 falo falas fala falamos falam	 como comes come comemos comem	 parto partes parte partimos partem
Imperfect eu tu ele, ela, você, etc. nós eles, elas, vocês, etc.	 falava falavas falava falávamos falavam	 comia comias comia comíamos comiam	 partia partias partia partíamos partiam
Past Tense eu tu ele, ela, você, etc. nós eles, elas, vocês, etc.	 falei falaste falou falámos falaram	 comi comeste comeu comemos comeram	 parti partiste partiu partimos partiram

VERBOS IRREGULARES
IRREGULAR VERBS

Infinitive	dar (to give)	dizer (to say)	estar (to be)	fazer (to do/make)
Past participle	dado	dito	estado	feito
Present subjunctive	dê	diga	esteja	faça
Present	dou dás dá damos dão	digo dizes diz dizemos dizem	estou estás está estamos estão	faço fazes faz fazemos fazem
Imperfect	dava, etc. *(regular)*	dizia, etc. *(regular)*	estava, etc. *(regular)*	fazia, etc. *(regular)*
Past Tense	dei deste deu demos deram	disse disseste disse dissemos disseram	estive estiveste esteve estivemos estiveram	fiz fizeste fez fizemos fizeram

Infinitive	pôr (to put)	querer (to want)	saber (to know)	ser (to be)
Past participle	posto	querido	sabido	sido
Present subjunctive	ponha	queira	saiba	seja
Present	ponho pões põe pomos põem	quero queres quer queremos querem	sei sabes sabe sabemos sabem	sou és é somos são
Imperfect	punha punhas punha púnhamos punham	queria, etc. *(regular)*	sabia, etc. *(regular)*	era eras era éramos eram
Past Tense	pus puseste pôs pusemos puseram	quis quiseste quis quisemos quiseram	soube soubeste soube soubemos souberam	fui foste foi fomos foram

VERBOS IRREGULARES
IRREGULAR VERBS

Infinitive	haver (there to be)	ir (to go)	ler (to read)	poder (can)
Past participle	havido	ido	lido	podido
Present subjunctive	haja	vá	leia	possa
Present	hei hás há havemos hão	vou vais vai vamos vão	leio lês lê lemos lêem	posso podes pode podemos podem
Imperfect	havia, etc. *(regular)*	ia, etc. *(regular)*	lia, etc. *(regular)*	podia, etc. *(regular)*
Past Tense	houve houveste houve houvemos houveram	fui foste foi fomos foram	li *(regular)*	pude pudeste pôde pudemos puderam

Infinitive	ter (to have)	trazer (to bring)	ver (to see)	vir (to come)
Past participle	tido	trazido	visto	vindo
Present subjunctive	tenha	traga	veja	venha
Present	tenho tens tem temos têm	trago trazes traz trazemos trazem	vejo vês vê vemos vêem	venho vens vem vimos vêm
Imperfect	tinha tinhas tinha tínhamos tinham	trazia, etc. *(regular)*	via, etc. *(regular)*	vinha vinhas vinha vínhamos vinham
Past Tense	tive tiveste teve tivemos tiveram	trouxe trouxeste trouxe trouxemos trouxeram	vi viste viu vimos viram	vim vieste veio viemos vieram

EXPRESSÕES
EXPRESSIONS

à direita	— on the right
agora é contigo	— now, it's up to you
ah! É verdade	— Oh! That's right
à esquerda	— on the left
até amanhã	— see you tomorrow
bem, obrigado	— fine, thank you and you?
bom dia	— good morning
como está?	— how are you?
com certeza	— of course, certainly
com licença. Posso?	— escuse me. May I?
claro que concordo	— sure, I agree
de nada	— not at all
de nada e boa estadia	— not at all and have a good stay
desculpe	— sorry
então, diz lá	— So, tell me than
está bem	— it's okay
está certo	— that's all right
está combinado	— it's settled/it's a deal
há muito que não a via	— I haven't seen you for ages
muito obrigado	— thank you
muito prazer	— nice to meet you
não há problema	— there's no problem
não, por hoje é tudo	— no, that's all for today
o que é que vai hoje?	— what would you like for today?
pode dizer-me a como está a libra?	— can you tell me the current rate of the pound?
por aqui, por favor	— this way, please
posso?	— May I?
posso entrar?	— May I come in?
por favor, não se importa de me dizer...	— please, don't you mind to tell...
que bom!	— wonderful!
que pena!	— what a pity!
que sono!	— I'm so sleepy!
quanto tempo!	— how long!
só um momento!	— just a moment!
tem razão!	— you're right!

VOCABULÁRIO
VOCABULARY

A

abaixo — under/below
acaso — by chance
o acidente — accident
o açúcar — sugar
o adesivo — adhesive
adiantado — fast
admirado — surprised
o aeroporto — airport
afirmativo — affirmative
a agência — agency
a agenda — calendar
agora — now
agradável — agreable
a água — water
aí — there
ainda — still
ainda não — not yet
o alemão — german
a alfândega — customs
algum — any (some)
o algodão — cotton
ali — there (far)
o almoço — lunch
alto — tall
amanhã — tomorrow
o amigo — friend
o andar — floor
o ano — year
ansioso — anxious
o apartamento — apartment
apenas — only
aqui — here
o arroz — rice
a aspirina — aspirin
assado — roasted/grilled
assim — thus
a atenção — attention
atrasado — late
o autocarro — bus
o auscultador — telephone receiver
avariado — damaged
a avenida — avenue
o avião — aeroplane
os avós — grandparents

B

o bacalhau — cod
a bagagem — luggage
baixo — low/short
a banana — banana
o banco — bank
a batata — potato
a belga — belgian
bem — well
bem-vindo — welcome
o beneficiário — beneficiary
a bica — expresso
a bicha — the queue
o bife — steak
o bilhete — ticket
o bilhete de identidade — identity card
o bolo — cake
bom — good
bonito — beautiful

C

o cabelo — hair
a cabina — phone booth
o café — coffee
o caldo verde — clear soup/broth
o (a) caixa — cash/cashier/box
a cama — bed
a camioneta — truck
a caneta — pen
a carne — meat
caro — cheap
o carro — car
a casa — house
a casa de banho — toilet
o casaco — coat
casado — married
castanho — brown
a capotagem — overturning
a cebola — onion
cedo — early
a cenoura — carrot
cerca de — about
certamente — certainly
certo — right

a cerveja — beer
o chão — floor
a chamada — call
a chapa — plate (bank)
a chave — key
a chegada — arrival
cheio — full
o cheque — cheque
o choque — collision
a cidade — town
civil — civil
claro — of course
o cliente — client
a coisa — thing
o colega — mate
a colher — spoon
com — with
o comboio — train
com certeza — certainly
a companhia — company
a compra — shopping
comprido — long
o comprimido — tablet
a confiança — trust
confortável — comfortable
a conta — bill
a conta à ordem — current account
a conta a prazo — long term account
contente — happy
o contrabando — contraband
a constipação — cold
o copo — glass
a cor — colour
o corpo — body
o corredor — corridor
o correio — post-office
a corrida — trip in a taxi
a costureira — dressmaker
cozido — boiled/baked
curto — short
o curso — course

D

a dactilógrafa — typist
de acordo — it's a deal
delicioso — delicious
depois — after
o depósito — tank
a desculpa — excuse
a despesa — expense
destreinada — out of practice
devagar — slow
o dia — day
o dinheiro — money
o director — director
a distância — distance
o doce — confiture/sweet
doente — ill
o documento — document
a dor de cabeça — headache
a dose — portion
durante — during

E

o elevador — lift
o embarque — gate
embora — although
em breve — soon
em seguida — after
então — so/then
a entrevista — interview
especial — special
a estadia — stay
o estrangeiro — foreigner
excelente — excellent
a experiência — experience
o extracto mensal — monthly statement

F

a faca — knife
fácil — easy
a farmácia — pharmacy
facto (de) — in fact
o fato — suit
a febre — fever
a felicidade — happiness
as férias — holiday
a ficha — registration card
o fim — end
finalmente — at last
o fiscal — controller/supervisor

a fome	— hunger
formal	— formal
o formulário	— form/formulary
o francês	— french
o frasco	— bottle
frente (em)	— in front of
a profissão	— profession
a fruta	— fruit
o furto	— theft

G

o gabinete de provas	— fitting room
o galão	— glass of white coffee (milk+coffee)
o garfo	— fork
o gás	— gas
geralmente	— generally
a gola	— collar
gordo	— fat
a greve	— strike
a gripe	— flu
o guarda	— policeman
o guarda-chuva	— umbrella
o guardanapo	— napkin
o guia	— guide

H

as habilitações	— qualifications
habitualmente	— usually
hoje	— today
o holandês	— dutch
a hora	— hour
hora (à)	— on time
a hora de ponta	— rush hour
o horário	— timetable
horrível	— terrible
o hotel	— hotel

I

a idade	— age
a ideia	— idea
o inglês	— english
a imperial	— draft beer
a importância	— importance
o impresso	— form
o incêndio	— fire
o indicat. internacional	— international code
a informação	— information
interessado	— interested

J

já	— already
o jantar	— dinner
juntos	— together
o juro	— interest rate

L

o lado	— side
largo	— large
o legume	— vegetable
o leite	— milk
leve	— light
a libra	— pound
a ligação	— telephone call
a lista	— list
a lista telefónica	— telephone book
o litro	— litre
o livro de cheques	— cheque book
a loira	— blond
o lugar	— region/place

M

o maço	— package
maduro	— ripe
magnífico	— fantastic
mais	— more
a mala	— handbag
a manga	— sleeve
a manhã	— morning
a mão	— hand
a máquina de escrever	— typewriter
o mar	— sea
a marca	— brand
mas	— but
o medicamento	— medicine

meia — half
melhor — better
a menina — miss/girl
o mercado — market
a mercearia — grocery
o mercúrio — mercury
o mês — month
a mesa — table
mesmo que — if even
o metro — underground
o modelo — model
a morada — address
morena — brunette
o museu — museum

N

a nacionalidade — nationality
nada — nothing
natural — natural
necessário — necessary
nervoso — nervous
a noite — night
o nome — name
no momento — now
normal — normal
a nota — note
novo — new

O

onde — where
a opinião — opinion
a oportunidade — opportunity
óptimo — great
outro — other
o ovo — egg

P

o país — country
os pais — parents
o pão — bread
o paquete — office-boy
o par — pair/couple
a paragem — bus stop
a partida — departure
a partida de ténis — tennis game
a passagem — ticket
o passaporte — passport
a pasta de dentes — toothpaste
o pastel de nata — custard cake
o passeio — walk
o pedaço — portion
o peixe — fish
pequeno — small
o pequeno almoço — breakfast
a pêra — pear
o perfume — perfume
a pergunta — question
perto — near
pesado — heavy
o pescoço — neck
o peso — weight
pontual — in time
por acaso — by change
o porco — pork/pig
a porta — door
o português — portuguese
por volta de — about
o postal — card
pouco — little
a praça — square
a praia — beach
prático — practical
o prato — dish
o preço — price
o prego — steak sandwich
primeiro — first
o princípio — beginning
privativo — private
o professor — teacher
o problema — problem
pronto — ready
próximo — next
o pudim — pudding

Q

qual — which
o quarto — room
o quarto individual — single room
o quarto de casal — double-room
quase — almost
o queijo — cheese

quem — who
quente — hot
o quilo — kilo

R

o ramo — branch
a raqueta — racket
o rapaz — boy
rápido — fast
realmente — really
o recado — message
a recepção — reception
a refeição — meal
a região — region
a regra — rule
o regresso — return
o relógio — watch
a relva — grass
a responsabilidade — responsibility
a resposta — answer
o restaurante — restaurant
a reunião — meeting
rigoroso — rigorous
o rolo — roll
o roubo — robbery/theft
a roupa — clothing
a rua — street

S

o saco — bag
a salada — salad
o saldo — balance
o salto — heel
a sande — sandwich
os sapatos — shoes
a sardinha — sardine
a secção — departament
a secretária — secretary
a seda — silk
a sede (estar com) — to be thirsty
o seguro — insurance
o selo — stamp
sempre — always
simpático — kind
sinal — sign
só — only
solteiro — single
a sopa — soup
a sorte — good luck
sujo — dirty
suficiente — sufficient/enough

T

talvez — perhaps
tão — so
o tecido — fabric/material
o telefone — phone
o telegrama — telegram
a temperatura — temperature
o tempo — time
o termómetro — thermometer
a testa — forehead
o ténis — tennis
tinto — red (wine)
típico — typical
o tipo — type
o tomate — tomato
a totalidade — total
o trabalho — job/work
a transferência — transfer
o trânsito — traffic
o troco — change
tudo — everything

U

último — last
a uva — grape
a urgência — urgency

V

vago — vacant
o vale postal — postal order
o valor — value
vantajoso — good
várias vezes — several times
a viagem — travel/trip
o vinho — wine
a vista — landscape/view
vontade (à) — at one's pleasure
o voo — flight
a voz — voice

VERBOS
VERBS

abrir — to open
abrir conta — to open an account
acabar — to finish
aceitar — to accept
acertar — to find out/to set a watch
achar — to find/to think
acreditar — to believe
acontecer — to happen
acordar — to wake up
adiantar — to advance
agradecer — to thank for
aguardar — to wait
ajudar — to help
almoçar — to lunch
alterar — to change
alugar — to rent
apertar — to tighten
apetecer — to feel like
apresentar-se — to introduce oneself
apostar — to bet
atender — to wait on
atrasar — to set back
atravessar — to cross
assentar — to suit
assinar — to sign
beber — to drink
calçar — to put on (shoes)
chamar-se — to call
chegar — to arrive
chover — to rain
cobrir — to cover
combinar — to settle/to agree
comprar — to buy
compreender — to understand
conduzir — to drive
concordar — to agree
confirmar — to confirm
conhecer — to know
consultar — to check
conversar — to talk
convir — to be convenient
custar — to cost
dar — to give
dar jeito — to be convenient
dar um passeio — to go for a walk
decidir — to decide
deitar — to go to bed/to lie down
deixar — to let/to leave
demorar — to delay
depender — to depend
depositar — to deposit
descer — to go down
desejar — to wish
desistir — to give up
dirigir-se — to go
dizer — to say
doer — to be painful/to hurt
duvidar — to doubt
emprestar — to lend
encher — to fill
encontrar-se — to meet
encurtar — to shorten
entregar — to give
enviar — to send
escolher — to chose
escrever — to write
escrever à máquina — to type
esperar — to wait/to hope
esquecer-se — to forget
estar — to be
estar em ordem — to be all set
estar com calor — to be hot
estar com sede — to be thirsty
experimentar — to try
falar — to speak
fazer — to make/to do
fazer anos — to have one's birthday
fechar — to close
ficar — to be/to stay/to suit
ficar surpreendido — to be surprised
preocupado — to be worried
funcionar — to work
gastar — to spend
gostar — to like
guiar — to drive
haver — there to be
hesitar — to hesitate
indicar — to indicate/to point out
informar — to inform
importar-se — to mind
ir — to go
ir buscar — to fetch

ir embora — to go away
jogar — to play
lembrar-se — to remember
levantar — to pick up/to raise
levantar-se — to get up
levantar (dinheiro) — to draw money from the bank
levar — to take
ligar — to phone
marcar — to dial
modificar — to change
morar — to live
mostrar — to show
notar — to notice
oferecer — to offer
pagar — to pay
parar — to stop
parecer — to spend/to pass
passear — to go for a walk
pedir — to ask for
pensar — to think
pesar — to weigh
poder — can
pôr — to put
precisar — to need
preencher — to fill in
preferir — to prefer
preparar — to prepare
provar — to try on
querer — to want
receber — to receive
reservar — to book
saber — to know
sair — to go out/to leave
sair à hora — to leave on time
seguir — to follow
sentar-se — to sit down
sentir — to feel
ser — to be
ser capaz de — to be able
ser evidente — to be evident
ser possível — to be possible
ser preciso — to be necessary
servir — to serve
somar — to add up
subir — to rise/to go up
telefonar — to phone
tencionar — to intend
tentar — to try
ter — to have
ter cuidado — to be careful
ter medo de — to be afraid of
tomar — to take
tossir — to cough
trabalhar — to work
tratar de — to deal with
trazer — to bring
trocar — to change
usar — to wear
ver — to see
verificar — to check
virar — to turn
vir buscar — to fetch/to come and pick up
visitar — to visit
viver — to live
voltar — to turn/to come back